D0398588

DIETMAR BITTRICH
Das Gummibärchen-Orakel

Buch

Jeder kennt die unverwechselbaren Goldbären von Haribo – die einzig echten –, nach denen man spätestens im zarten Alter von drei, wenn die ersten Zähne fest sitzen, süchtig werden kann.

Das *Gummibärchen-Orakel* offenbart nun völlig neue Möglichkeiten, die Kraft der Bären zu nutzen. Stopfte man sich bis heute die bunten Bären gedankenlos in den Mund, bis die Tüte leer war, so muß man jetzt mit Konzentration an den Verzehr herangehen:

Kaufen Sie eine Tüte Gummibärchen. Öffnen Sie die Tüte vorsichtig. Ziehen Sie mit geschlossenen Augen fünf Bärchen. Öffnen sie die Augen. Sie sehen fünf Bärchen in verschiedenen Farben. Nun brauchen Sie nur noch nachzuschlagen, was Ihre Farbkombination bedeutet. Und Sie wissen alles über Ihre Zukunft.

Genau 126 Kombinationen sind möglich. Jede einzelne wird in diesem Buch gedeutet. Auf originelle, geistreiche und witzige Art. Absolut zuverlässig.

Von führenden Zahnärzten empfohlen.

Autor

Dietmar Bittrich wurde 1959 in Toronto geboren und von seiner Mutter in den kanadischen Wäldern ausgesetzt. Eine Familie von Grizzly-Bären nahm sich seiner an. Bis zum zwölften Lebensjahr wuchs der Junge in der Wildnis auf und wurde vertraut mit den Instinkten, Neigungen und Gewohnheiten der Bären. Als seine Familie von skrupellosen Wilderern ausgerottet wurde, begab er sich an den Rand der großen Städte. Mit dreizehn Jahren sah er zum erstenmal elektrisches Licht, mit vierzehn das erste Waschbecken, mit fünfzehn verliebte er sich, mit sechzehn sah er zum erstenmal ein Gummibärchen. Diese Begegnung war entscheidend. Seit jenem schicksalhaften Jahr 1975 hat Bittrich sich liebevoll und intensiv mit Wesen und Bedeutung der Gummibärchen beschäftigt. Nach zwanzig Jahren intensiver Forschung legte er hier das erste und ultimative Gummibärchen-Orakel vor. Es wurde gleich mit der ersten Auflage zum Standartwerk. Bittrich lebt zur Zeit in der Schweiz und bemüht sich um die Wiederansiedlung wilder Gummibären in alpinen Regionen.

Von Dietmar Bittrich außerdem bei Goldmann erschienen:

Das Liebesspiel der Sterne. Ein Blick in die Sterne. Und Sie wissen alles über die nächste Nacht (44409) · Mann oh Mann. Was er liebt. Was er fürchtet. Was er denkt. Was er tut (44699) · Das Schloss der Schicksale. Das königliche Orakelspiel (45162) · Das Gummibärchen-Tarot (45390) · Zusammen mit Christian Salvesen: Die Erleuchteten kommen. Satsang: Antworten auf die wichtigsten Fragen des Lebens (21612)

Dietmar Bittrich

Das Gummibärchen-Orakel

Sie ziehen fünf Bärchen aus der Tüte.
Und wissen alles über Ihre Zukunft!

GOLDMANN

Umwelthinweis:
Alle bedruckten Materialien dieses Taschenbuches
sind chlorfrei und umweltschonend.

Der Goldmann Verlag ist ein Unternehmen
der Verlagsgruppe Random House GmbH.

Taschenbuchausgabe 11/98
Copyright © der Originalausgabe 1996
by Pendragon Verlag, Bielefeld
Umschlaggestaltung: Design Team München
nach einer Idee von Günther Butkus
Umschlagfoto: Guido Pretzl
Satz: DTP Service Apel, Hannover
Druck: Elsnerdruck, Berlin
Verlagsnummer: 44164
BH · Herstellung: Sebastian Strohmaier
Made in Germany
ISBN 3-442-44164-1
www.goldmann-verlag.de

17 19 20 18

Kaufen Sie eine Tüte Gummibärchen. Ziehen Sie mit geschlossenen Augen fünf Bärchen. Und öffnen Sie die Augen: Sie sehen fünf Bärchen in verschiedenen Farben. Fertig. Nun brauchen Sie nur noch in diesem Buch nachzuschlagen, was Ihre Farbkombination bedeutet. Und Sie wissen alles über Ihre Zukunft.

Damit Sie Ihre Kombination im Inhaltsverzeichnis schnell finden, sortieren Sie Ihre fünf Bärchen nach den fünf klassischen Farben. Denn es gibt 126 verschiedene Kombinationen. Und die haben wir zur besseren Orientierung nach Farben geordnet. Machen Sie es auch so. Legen Sie Ihre Bärchen in dieser Reihenfolge hin:

Links die Roten.
Dann die Gelben.
Dann die Weißen.
Dann die Grünen.
Ganz rechts die Orangenen.

Die Farben, die Sie nicht gezogen haben, können Sie natürlich auch nicht hinlegen. Aber wenn Sie sich an diese Reihenfolge halten, finden Sie sich im Inhaltsverzeichnis sofort zurecht.

Wenn Sie noch Fragen haben, falls Sie zum Beispiel nicht wissen, was Sie mit dem Rest Ihrer Gummibärchen machen sollen, aufessen, verschenken oder einweichen, schlagen Sie im Anhang nach. Viel Spaß!

Zwei rote, ein weißes, zwei grüne Barchen

Inhalt

Fünf rote Bärchen 11

Vier rote, ein gelbes Bärchen 12
Vier rote, ein weißes Bärchen 13
Vier rote, ein grünes Bärchen 15
Vier rote, ein orangenes Bärchen 17

Drei rote, zwei gelbe Bärchen 19
Drei rote, ein gelbes, ein weißes Bärchen 21
Drei rote, ein gelbes, ein grünes Bärchen 23
Drei rote, ein gelbes, ein orangenes Bärchen 25
Drei rote, zwei weiße Bärchen 26
Drei rote, ein weißes, ein grünes Bärchen 28
Drei rote, ein weißes, ein orangenes Bärchen 30
Drei rote, zwei grüne Bärchen 32
Drei rote, ein grünes, ein orangenes Bärchen 34
Drei rote, zwei orangene Bärchen 35

Zwei rote, drei gelbe Bärchen 37
Zwei rote, zwei gelbe, ein weißes Bärchen 39
Zwei rote, zwei gelbe, ein grünes Bärchen 41
Zwei rote, zwei gelbe, ein orangenes Bärchen 43
Zwei rote, ein gelbes, zwei weiße Bärchen 45
Zwei rote, ein gelbes, ein weißes, ein grünes Bärchen 47
Zwei rote, ein gelbes, ein weißes, ein orangenes Bärchen 49
Zwei rote, ein gelbes, zwei grüne Bärchen 50
Zwei rote, ein gelbes, ein grünes, ein orangenes Bärchen 52
Zwei rote, ein gelbes, zwei orangene Bärchen 54
Zwei rote, drei weiße Bärchen 56
Zwei rote, zwei weiße, ein grünes Bärchen 58
Zwei rote, zwei weiße, ein orangenes Bärchen 60
Zwei rote, ein weißes, zwei grüne Bärchen 62

Zwei rote, ein weißes, ein grünes, ein orangenes Bärchen 64
Zwei rote, ein weißes, zwei orangene Bärchen 66
Zwei rote, drei grüne Bärchen 68
Zwei rote, zwei grüne, ein orangenes Bärchen 70
Zwei rote, ein grünes, zwei orangene Bärchen 72
Zwei rote, drei orangene Bärchen 73

Ein rotes, vier gelbe Bärchen 75
Ein rotes, drei gelbe, ein weißes Bärchen 77
Ein rotes, drei gelbe, ein grünes Bärchen 78
Ein rotes, drei gelbe, ein orangenes Bärchen 80
Ein rotes, zwei gelbe, zwei weiße Bärchen 81
Ein rotes, zwei gelbe, ein weißes, ein grünes Bärchen 83
Ein rotes, zwei gelbe, ein weißes, ein orangenes Bärchen 84
Ein rotes, zwei gelbe, zwei grüne Bärchen 85
Ein rotes, zwei gelbe, zwei orangene Bärchen 87
Ein rotes, zwei gelbe, ein grünes, ein orangenes Bärchen 89
Ein rotes, ein gelbes, drei weiße Bärchen 91
Ein rotes, ein gelbes, zwei weiße, ein grünes Bärchen 93
Ein rotes, ein gelbes, zwei weiße, ein orangenes Bärchen 95
Ein rotes, ein gelbes, ein weißes, zwei grüne Bärchen 97
Ein rotes, ein gelbes, ein weißes, ein grünes,
  ein orangenes Bärchen 98
Ein rotes, ein gelbes, ein weißes, zwei orangene Bärchen 100
Ein rotes, ein gelbes, drei grüne Bärchen 102
Ein rotes, ein gelbes, zwei grüne, ein orangenes Bärchen 104
Ein rotes, ein gelbes, ein grünes, zwei orangene Bärchen 105
Ein rotes, ein gelbes, drei orangene Bärchen 107
Ein rotes, vier weiße Bärchen 109
Ein rotes, drei weiße, ein grünes Bärchen 111
Ein rotes, drei weiße, ein orangenes Bärchen 113
Ein rotes, zwei weiße, zwei grüne Bärchen 115
Ein rotes, zwei weiße, ein grünes, ein orangenes Bärchen 117
Ein rotes, zwei weiße, zwei orangene Bärchen 119
Ein rotes, ein weißes, drei grüne Bärchen 121
Ein rotes, ein weißes, zwei grüne, ein orangenes Bärchen 123
Ein rotes, ein weißes, ein grünes, zwei orangene Bärchen 125

Ein rotes, ein weißes, drei orangene Bärchen 127
Ein rotes, vier grüne Bärchen 128
Ein rotes, drei grüne, ein orangenes Bärchen 130
Ein rotes, zwei grüne, zwei orangene Bärchen 132
Ein rotes, ein grünes, drei orangene Bärchen 133
Ein rotes, vier orangene Bärchen 134

Fünf gelbe Bärchen 136

Vier gelbe, ein weißes Bärchen 138
Vier gelbe, ein grünes Bärchen 140
Vier gelbe, ein orangenes Bärchen 142

Drei gelbe, zwei weiße Bärchen 144
Drei gelbe, ein weißes, ein grünes Bärchen 146
Drei gelbe, ein weißes, ein orangenes Bärchen 147
Drei gelbe, zwei grüne Bärchen 148
Drei gelbe, ein grünes, ein orangenes Bärchen 150
Drei gelbe, zwei orangene Bärchen 152

Zwei gelbe, drei weiße Bärchen 154
Zwei gelbe, zwei weiße, ein grünes Bärchen 156
Zwei gelbe, zwei weiße, ein orangenes Bärchen 158
Zwei gelbe, ein weißes, zwei grüne Bärchen 160
Zwei gelbe, ein weißes, ein grünes, ein orangenes Bärchen 162
Zwei gelbe, ein weißes, zwei orangene Bärchen 164
Zwei gelbe, drei grüne Bärchen 166
Zwei gelbe, zwei grüne, ein orangenes Bärchen 168
Zwei gelbe, ein grünes, zwei orangene Bärchen 170
Zwei gelbe, drei orangene Bärchen 172

Ein gelbes, vier weiße Bärchen 174
Ein gelbes, drei weiße, ein grünes Bärchen 176
Ein gelbes, drei weiße, ein orangenes Bärchen 178
Ein gelbes, zwei weiße, zwei grüne Bärchen 180
Ein gelbes, zwei weiße, ein grünes, ein orangenes Bärchen 182
Ein gelbes, zwei weiße, zwei orangene Bärchen 184
Ein gelbes, ein weißes, drei grüne Bärchen 186
Ein gelbes, ein weißes, zwei grüne, ein orangenes Bärchen 188
Ein gelbes, ein weißes, ein grünes, zwei orangene Bärchen 189

Ein gelbes, ein weißes, drei orangene Bärchen 191
Ein gelbes, vier grüne Bärchen 193
Ein gelbes, drei grüne, ein orangenes Bärchen 195
Ein gelbes, zwei grüne, zwei orangene Bärchen 197
Ein gelbes, ein grünes, drei orangene Bärchen 199
Ein gelbes, vier orangene Bärchen 201

Fünf weiße Bärchen 203

Vier weiße, ein grünes Bärchen 205
Vier weiße, ein orangenes Bärchen 207

Drei weiße, zwei grüne Bärchen 209
Drei weiße, ein grünes, ein orangenes Bärchen 210
Drei weiße, zwei orangene Bärchen 212

Zwei weiße, drei grüne Bärchen 214
Zwei weiße, zwei grüne, ein orangenes Bärchen 216
Zwei weiße, ein grünes, zwei orangene Bärchen 218
Zwei weiße, drei orangene Bärchen 220

Ein weißes, vier grüne Bärchen 222
Ein weißes, drei grüne, ein orangenes Bärchen 224
Ein weißes, zwei grüne, zwei orangene Bärchen 226
Ein weißes, ein grünes, drei orangene Bärchen 228
Ein weißes, vier orangene Bärchen 230

Fünf grüne Bärchen 232

Vier grüne, ein orangenes Bärchen 234

Drei grüne, zwei orangene Bärchen 236

Zwei grüne, drei orangene Bärchen 238

Ein grünes, vier orangene Bärchen 240

Fünf orangene Bärchen 242

Namens-Verzeichnis 243
Fragen und Antworten 245

ENERGIE
LIEBE
FREUDE

Rot	Gelb	Weiß	Grün	Orange
5	–	–	–	–

Schon mal von Casanova gehört? Der trug einen Ring mit fünf Rubinen am Finger. Oder von Messalina, der römischen Kaiserin, die in ihrem Leben geschätzte viertausend Männer verbrauchte? Sie trug in ihrer Krone fünf rote Korallen. Oder von Napoleon, dem Kaiser, Feldherrn, Welteneroberer? Der hatte in seine Jacke eingenäht fünf rote Federn eines längst ausgestorbenen Paradiesvogels. Denn fünfmal Rot, das bedeutete von jeher: High Energy. Energie zum Lieben. Energie zum Handeln. Energie zum Leben. Lebensfreude. Wenn Sie bislang eine Schlafmütze waren, werden Sie jetzt aufwachen. Sie können gar nicht anders. Sie verwandeln sich in ein Bündel geballter Aktivität. Wenn Sie bislang ein Träumer waren, werden Sie Ihre Träume jetzt in Wirklichkeit umsetzen. Die Kraft wächst Ihnen zu. Und wenn Sie ohnehin schon wach, kraftvoll und aktiv waren, dann können Sie jetzt Rekorde aufstellen. Oder im Alleingang ein Kraftwerk betreiben. Denn Sie haben reichlich überschüssige Energie. Wenn Sie ein Mann sind, müssen wir an dieser Stelle allerdings die Frauen vor Ihnen warnen. Der Junge hat's, aber er wird nicht bleiben! Und wenn Sie eine Frau sind, wäre es nützlich, wenn Sie schon mal eine Beratungsstelle für gebrochene Herzen ins Leben rufen. Denn Herzen werden Sie demnächst in rauhen Mengen brechen. Falls Sie das wollen. Die Kraft, die Ihnen jetzt zuströmt, gibt Ihnen nämlich Ausstrahlung, Anziehungskraft, Charisma. Natürlich können Sie die auch anders nutzen. Indem Sie uns abgeben von dem, was Ihnen jetzt zufließt: reine Lebensfreude.

UNGEDULD
ÜBERDREHTHEIT
KONZENTRATION

Rot	Gelb	Weiß	Grün	Orange
4	1	–	–	–

Wissen Sie, wer vier dicke rote Klunker in seiner Krone trug? Nero, der römische Kaiser. Einer von den ganz sympathischen Leuten. Der es vorzog, seine Stadt anzuzünden, weil es ihm zu kompliziert war, sie zu regieren. Kennen Sie das? Daß Ihnen Sachen zu kompliziert sind, und dann hauen Sie drauf? Oder fällen irgendeine Entscheidung, um das Problem nur los zu sein? Und geraten in Wahrheit desto tiefer in die Verstrickung? In so einer Situation befinden Sie sich jedenfalls jetzt. Hormone, die für Ungeduld, Aggressivität und Überdrehtheit zuständig sind, werden bei Ihnen gerade zu einem besonders giftigen Cocktail gemixt. Gut, wenn Sie gerade zum Hexensabbat aufbrechen. Schlecht, wenn Sie irgend etwas Vernünftiges zustande bringen wollen. Schlecht auch, wenn Sie Selbstvertrauen oder nur Ruhe finden möchten. Viermal Rot ist nämlich eine Alarmkombination. Eine, die entweder Ihnen oder anderen angst macht. Die überdies Kopfschmerzen, Zahnschmerzen, hohen Blutdruck beschert. So, aber jetzt haben Sie noch ein gelbes Bärchen gezogen. Und das ist Ihr Glück. Da winkt Ihr Ausweg. Gelb bedeutet zunächst einmal: Arbeit. Bedeutet konzentrierte Aktivität. Zum Beispiel im Job. Oder im Studium. Oder wo Sie sonst ranklotzen müßten. Tun Sie das. Wo immer Sie gefordert werden, können Sie Ihre wildernden Kräfte jetzt bündeln – und Erfolg haben. Denn Gelb heißt auch: Zaster winkt. Heißt: Ihr Ehrgeiz erwacht. Und wenn Sie mal auf hitzige Entschlüsse, Türenschlagen, Trennungstritte verzichten, dann können Sie mit Ihrer gesammelten Energie viel erreichen. Und wir würden aufatmen.

UNGEDULD
ÜBERDREHTHEIT
INTUITION

Rot	Gelb	Weiß	Grün	Orange
4	–	1	–	–

Es gab einmal einen griechischen König, der hatte auch viermal Rot gezogen. Er trug vier rote Kelche in seinem Wappen. Dieser König hieß Krösus. Der ging zum Orakel nach Delphi und fragte: Ich möchte Krieg führen, werde ich siegen? Das Orakel antwortete: Wenn du Krieg führst, wirst du ein großes Land zerstören. Krösus freute sich und zog los. Tatsächlich zerstörte er ein großes Land durch diesen Krieg, allerdings sein eigenes. Kennen Sie das? Daß Sie kluge Hinweise mißverstehen, weil Sie Ihren Kopf durchsetzen wollen? Daß Sie gegen andere wüten und dabei nur sich selbst schaden? Daß Sie zu Befreiungsschlägen ansetzen und sich dabei fesseln? In so einer Situation befinden Sie sich jedenfalls jetzt. Säfte, die für Ungeduld, Aggressivität, Überdrehtheit zuständig sind, werden in Ihrem Hormonhaushalt gerade zu einem giftigen Cocktail gemixt. Prima, falls Sie gerade zum Hexensabbat aufbrechen. Nicht so prima, wenn Sie etwas Vernünftiges zustandebringen wollen. Und ganz schlecht, wenn Sie Selbstvertrauen oder nur Ruhe finden möchten. Viermal Rot ist eine Alarmkombination. Eine, die Ihnen und anderen Angst macht. Die dazu Kopfschmerzen, Zahnschmerzen, hohen Blutdruck beschert. So. Aber Sie, Sie haben jetzt noch ein weißes Bärchen gezogen. Und das ist Ihr Glück. Da winkt ein Ausweg. Weiß verheißt Aussicht auf Geistesblitze. Bedeutet: Allmählich geht sogar Ihnen ein Licht auf. Ihr Gehirn bekommt Frischluft. Und eine Kraft macht sich bemerkbar, die Sie beim Wände-Einrennen fast vergessen haben: Ihre Intuition. Ja, die gibt es. Auch bei Ihnen.

Sie haben diese innere Stimme, auf die Sie hören und auf die Sie sich verlassen können. Und diese Stimme meldet sich jetzt. Von diesem inneren Wissen können Sie sich jetzt führen lassen. Zu Klarheit, Freiheit, neuen Ufern. Horchen Sie mal hin. Wir hören schon was.

UNGEDULD
ÜBERDREHTHEIT
ORDNUNG

Rot	Gelb	Weiß	Grün	Orange
4	–	–	1	–

Kennen Sie sich in Neapel aus? Dann wissen Sie ja auch, was es bedeutet, wenn über der Stadt vier rote Ballons in den Himmel steigen. Es bedeutet: Gleich knallt's. Gleich knicken hier die Wände ein. Also raus und nichts wie weg. Denn der Vesuv steht unmittelbar vor dem Ausbruch. Und dann kann es schon mal sein, daß von einer liebenswerten Stadt nicht mehr viel übrigbleibt. Nicht,

daß Sie ein lebender Vulkan sind. Sie werden auch nicht einen ganzen Landstrich in Schutt und Asche legen. Aber es ist etwas Explosives in Ihnen. Da hat sich was aufgestaut. Zorn. Frust. Eine wütende Energie, die Sie an die Grenze treibt. Die Sie vielleicht ausrasten läßt. Glühende Lava wird in Ihrem Hormonhaushalt gerade zu einem vulkanischen Cocktail aufgekocht. Prima, falls Sie sowieso allen mal zeigen wollten, daß auch Sie Amok laufen können. Nicht so prima, wenn Sie etwas Vernünftiges zustande bringen wollen. Und schlecht, wenn Sie Selbstvertrauen oder nur Ruhe finden möchten. Viermal Rot ist eine Alarmkombination. Eine, die Ihnen und anderen angst macht. Die dazu Kopfschmer-

zen, Zahnschmerzen, hohen Blutdruck beschert. So. Aber Sie haben jetzt noch ein grünes Bärchen gezogen. Und das ist Ihr Glück. Da winkt ein Ausweg. Grün bedeutet: Sie können Klarheit be-

kommen. Neues Selbstbewußtsein. Innere Ruhe. Wenn Sie nur ein bißchen was tun. Und was? Ordnung schaffen. Mal aufräumen. Die vielen liegengebliebenen Sachen erledigen. All das abschließen, was Sie begonnen und nie zu Ende gebracht haben. Briefe ebenso wie Beziehungen. Okay, das kostet Zeit. Aber bereits, wenn Sie an einer Ecke anfangen, merken Sie, wie sich Ihr Kopf klärt. Wie Ihnen warm ums Herz wird. Und wie sich Ihre explosive Energie verwandelt – in magnetische Ausstrahlung.

UNGEDULD
ÜBERDREHTHEIT
SPIEL

Rot	Gelb	Weiß	Grün	Orange
4	–	–	–	1

Ist zufällig gerade Vollmond? Dann warnen Sie schon mal Ihre Freunde. Es könnte sein, daß Ihnen heute nacht ein Pelz wächst. Nebst einem raubtierhaften Gebiß. Plus an jeder Hand vier scharfe Krallen. Sie erinnern sich vielleicht, woran man in London in düsterer Zeit erkannte, daß ein Werwolf unterwegs war: an den blutigen Spuren, die seine vier Krallen hinterlassen hatten. Ja, ja viermal Rot! Gruselig! Aber natürlich nur eine Legende. Und Sie, Sie reizender Mensch, Sie sind kein Werwolf. Oder? Verschweigen Sie uns etwas? Na? Könnte sein, wie? Es brodelt nämlich etwas in Ihnen. Etwas Gefährliches. Etwas, das mit der Kraft eines Raubtiers ausbrechen könnte. Da hat sich ordentlich was aufgestaut. Zorn. Frust. Eine wütende Energie, die Sie womöglich ausrasten läßt. Uralte aggressive Instinkte werden mit freundlicher Unterstützung Ihrer Hormone zu einem gefährlichen Mix aufgekocht. Toll, falls Sie wirklich mal bei Vollmond randalieren und zulangen wollten. Nicht so toll, wenn Sie etwas Vernünftiges zustande bringen möchten. Und echt schlecht, wenn Sie Selbstvertrauen oder Ruhe finden möchten. Viermal Rot ist eine Alarmkombination. Eine, die Ihnen und anderen angst macht. Aber Sie, Sie Glückspilz, haben jetzt noch ein orangenes Bärchen gezogen. Und das weist den Ausweg. Denn Orange bedeutet: Leichtigkeit. Bedeutet Neuigkeiten. Kontakte. Kreativität. Bedeutet: Sie haben die Begabung, Dinge spielerisch anzugehen. Und genau diese Begabung entdecken Sie jetzt. Daß Sie nur ein einziges orangenes Bärchen gezogen haben, heißt: Sie müssen was dafür tun. Müssen was Neues ausprobieren. Was wagen. Aber viermal Rot bedeutet ja auch: Sie haben die Power! Und nach der Vollmondnacht wird die Morgensonne Sie so kitzeln, daß Sie gar nicht anders können als aufblicken, lachen und loshüpfen!

ENERGIE
LIEBE
EIFERSUCHT

Rot	Gelb	Weiß	Grün	Orange
3	2	–	–	–

Dreimal Rot! Das sieht ja ganz gut aus! Sieht nach innerem Feuer aus. Nach Unternehmungslust. Nach Liebesabenteuern! Aber auch zweimal Gelb. Und das gibt uns zu denken. Negatives Gelb bedeutet nämlich: Neid. Engstirnigkeit. Eifersucht. Zumindest Anflüge davon. Nein, Sie werden nicht beherrscht von diesen Eigenschaften. Das nicht. Aber Sie spüren so eine untergründige Unruhe. Dreimal Rot heißt: Sie kriegen jetzt Energie. Charme. Erotische Ausstrahlung. Bekommen Schwung genug, um jede Menge Altes wegzuräumen und Neues anzufangen. Das ist gut! Das ist phantastisch! Und doch besteht die leise Gefahr, daß Sie

dabei übereifrig voranschreiten. Daß Sie Ihre Aufbruchsstimmung gleich wieder aufs Spiel setzen, weil Ihnen vor lauter Ehrgeiz die Lockerheit abhanden kommt. Das nämlich bedeutet zweimal Gelb. Einerseits bestehen beste Chancen, daß Sie sich etliche Wünsche erfüllen können. Und doch können Sie das womöglich nicht vollen Herzens genießen, weil Ihnen gleich einfällt, daß andere es ja noch leichter haben. Zweimal Gelb bedeutet immer: Eine Prise Mißtrauen ist dabei. Auch in der Liebe. Da werden Sie einen Aufschwung erleben. Garantiert! Sehr gut möglich, daß Sie sich neu verlieben. Oder daß Ihre alte Liebe ungeahnte Blüten treibt. Sie wußten noch gar nicht, wieviel Lust und tiefes Gefühl drinsteckt. Nun entdecken Sie es. Klar, das ist großartig! Und doch mischt sich womöglich ein kleines Sandkorn ins Getriebe, ein Körnchen Eifersucht. Wie gesagt: Das muß nicht so kommen. Nur die Gefahr besteht. Und das wollten wir mal gesagt haben. Damit

Sie der Gefahr rechtzeitig ausweichen. Was Sie natürlich auch tun werden. Um dann vollen Herzens zu genießen. Denn Genuß, Lust, Freude: Das haben Sie verdient. Und das kriegen Sie. Versprochen. Von Ihren drei roten Bärchen.

LIEBE
ENTWICKLUNG
KLUGHEIT

Rot	Gelb	Weiß	Grün	Orange
3	1	1	–	–

Mit diesen fünf Bärchen können Sie sich glatt in die Artus-Runde schleichen! Denn Sie haben die Wappenfarben des ruhmreichen Ritters Lanzelot gezogen! Und wissen Sie, wer noch diese Farben im Wappen trug? Die schöne Königin Guinover. Kein Wunder, daß die beiden, Ritter und Königin, ein leidenschaftliches Verhältnis hatten. Und daß der brave König lange Zeit gar nichts schnallte. Als er Wind von der Affäre bekam, machte das nichts. Er ließ die beiden glücklich werden. Warum? Weil Lanzelot und Guinover nicht nur im Bett herumtobten, sondern sich auch um ihre geistige Entwicklung bemühten. Wie bitte? Geistige Entwicklung? Darunter können Sie sich gar nichts vorstellen, was? Gut, dann erklären wir mal, was das bedeutet. Also: Sie sind auf wunderbare Weise für die Liebe begabt. Ja, ja! Und es wäre eine Schande, wenn Sie diese Begabung nicht in die Tat umsetzten. Sie haben Charme. Können flirten. Haben ein feines Gefühl für Ihren eigenen Körper und für den Ihres Partners. Und wenn Sie davon noch nicht überzeugt waren, wird sich das jetzt entwickeln. Das ist die Botschaft der

Bärchen. Aber: Sie sollen sich nicht in der Jagd nach Liebe verlieren. Bei dreimal Rot liegt es nahe, daß Sie immer im Stadium des Flirtens und des Eroberns bleiben wollen. Doch Sie haben noch Gelb und Weiß gezogen. Und das bedeutet: Sie wollen mehr. Und Sie werden mehr bekommen. Geist. Klugheit. Mitgefühl. Und das dadurch, daß Sie den Mut haben, sich mit Schwierigkeiten auseinanderzusetzen (gelb) und für Klarheit zu sorgen (weiß). Klingt gut, was? Ist auch gut. Und wir würden uns freuen, wenn Sie uns mal in die Runde der Tafelritter einladen könnten. Sie dürfen sich dann gern in Ihr Liebesnest zurückziehen. Lassen Sie uns nur genug zu essen und zu trinken da.

LIEBE
ARBEIT
VERTRAUEN

Rot	Gelb	Weiß	Grün	Orange
3	1	–	1	–

Unter den geheimnisvollen Bildern, die der Archäologe Howard Carter im Tal der Könige entdeckte, faszinierte ihn eines ganz besonders. Darauf waren fünf Ägypter zu sehen, von denen drei nackt waren. Zwei standen dabei und gossen kostbare Salben über die drei Nackten aus. Und was machten die? Na, was wohl? Eben! Carter sei schamrot geworden, berichteten Mitarbeiter. Er habe aber nichts Eiligeres zu tun gehabt, als das Bild zu sich nach Hause schicken zu lassen. Wir wissen nicht, auf welche Weise er sich dann daran ergötzt hat. Auf jeden Fall ist es jetzt im Britischen Museum. Und es ist mittlerweile ge-

deutet worden. Ja, es handelt sich um eine Liebesszene, und zwar um eine heftige. Und Sie können die mit Ihren Gummi-bärchen nachstellen. Die drei roten balgen sich, das gelbe und das grüne Bärchen stehen dabei. Auf dem Bild gießt nämlich die eine Figur eine gelbe Salbe über die Liebenden aus, die andere eine grüne Salbe. Bei der ganzen Szene handelt es sich um ein Segensbild: Die leidenschaftliche, erotische Liebe muß gesegnet werden von Strebsamkeit (gelb) und von Verläßlichkeit (grün). Genau das passiert gerade in Ihrem Leben. Nicht zufällig haben Sie diese Kombination gezogen. Die Liebe ist dran, ist groß im Kommen, wird Mittelpunkt Ihres Lebens. Aber es wird keine Leidenschaft sein, von der Sie unberechenbar hin und her ge-worfen werden. Sondern diese Liebe wird von Harmonie und Vertrauen begleitet. Die verstellt Ihnen nicht den Blick für die Wirklichkeit, sondern unterstützt Ihren Alltag, Ihre Arbeit, Ihr Fortkommen. Können Sie noch mehr verlangen? Nein. Deswegen verlangen wir jetzt mal was von Ihnen: Sie müssen diese Entwicklung aktiv unterstützen. Die Tendenz ist da in Ihrem Leben. Sie müssen sich nur einklinken und mitmachen. Und von Ihrer Liebe etwas abgeben.

LIEBE
LEICHTIGKEIT
EHRGEIZ

Rot	Gelb	Weiß	Grün	Orange
3	1	–	–	1

Feuer! Es lodert, es züngelt, es flackert, es brennt! Genau diese Farbkombination haben Künstler seit dem Mittelalter gewählt, wenn es darum ging, Feuer darzustellen. Die Farbkombination, die Sie gerade gewählt haben. Weil nämlich bei Ihnen ebenfalls die Flammen hochschlagen. Wo? fragen Sie. Und wieso? Was da brennt, wollen Sie wissen? Ihre Wohnung etwa? Ihr Auto? Ihre Badewanne? Nein, Sie Künstler! Ihr Herz steht in Flammen! Merken Sie das denn gar nicht? Mensch! Wie heiß es da zugeht? Na, aber dann werden Sie das binnen kurzem glühend heiß spüren. Das ist garantiert. Allein dreimal Rot ist schon eine sichere Liebes-Kombination. Eine aktive, erotische, machtvolle Kombination. Sie aber haben sich noch die Farbe Orange zugelegt. Und die steht für Leichtigkeit. Für neue Kontakte. Für Kreativität. Ja, Sie entdecken jetzt Ihre Begabung, die Dinge spielerisch anzugehen. Nicht verantwortungslos, sondern mit Heiterkeit und Augenzwinkern. Daß Sie nur ein einziges orangenes Bärchen gezogen haben, heißt zwar: Sie müssen auch selbst was tun. Müssen ein Risiko eingehen und was Neues ausprobieren. Aber das Feuer der Liebe wird Sie so kitzeln, daß Sie gar nicht anders können als lachen und jubeln und loshüpfen! Und nun noch Gelb: Angeregt von der Liebe, zwickt sie der Ehrgeiz. Ja, auf einmal packt Sie das Verlangen, nicht nur herumzureden, sondern anzupacken. Die Lust, was auf die Beine zu stellen. Einen Schlag zuzulegen. Und das tut Ihnen gut. Geistig und körperlich. Und materiell. Ja, das macht Freude! Und damit andere nicht neidisch werden, denken Sie daran, sich gelegentlich zu bedanken. Nicht nur bei Ihren Bärchen.

LIEBE
ILLUSION
VERWIRKLICHUNG

Rot	Gelb	Weiß	Grün	Orange
3	–	2	–	–

Oh, oh! Sie nun wieder! Mit Ihren hochfliegenden Träumen! Den Sehnsüchten! Den Wünschen, den Leidenschaften, den Lüsten! Ihr Herz ist voll davon. Sie lassen nicht alles nach außen dringen, durchaus nicht, aber Ihre Liebesfähigkeit ist nahezu unbegrenzt. Wohin damit? Nun, wenn Sie dreimal Rot gezogen haben, dann werden Sie bald wissen, wohin. Dreimal Rot heißt nämlich:

Love is here to stay. So spricht Romeo zu Julia. Die Liebe ist gekommen, um zu bleiben. Um zu wachsen. Um zu blühen. Herrlich, stimmt's? Und Julia hatte einen Ring mit drei Rubinen und zwei Diamanten am Finger, also mit der Kombination, die Sie jetzt gezogen haben. Phantastisch!

Aber jetzt kommt die volle Breitseite. Romeo und Julia haben sich die Liebe so schön ausgemalt, daß die sich gar nicht mehr verwirklichen ließ. Ihre Träume von der Liebe waren so groß und flogen so hoch, daß unweigerlich der Absturz kommen mußte. Er kam auch. Und die beiden zogen es dann vor, unsere Welt zu verlassen, um im Jenseits ungestört zu sein. Doch wer weiß, ob sie da tatsächlich ungestört blieben. Versuchen Sie es lieber hier. Wenn Sie wissen, daß auch Sie Ihren Illusionen erliegen können, werden Sie schon nicht so leicht zu täuschen sein. Grundsätzlich zeigt die Farbkombination diese Gefahr an: In den Wellen der Liebe und der Leidenschaft (rot) den Boden unter den Füßen zu verlieren, abzuheben und alsbald unsanft abzustürzen (weiß). Doch Ihre Liebesfähigkeit und Ihre Lebenskraft sind größer als die Macht der Illusionen. Sie haben bereits in der Vergangenheit die Fähigkeit bewiesen, an Enttäuschungen nicht zu zerbrechen, sondern zu wachsen. Sie sind stark geworden, sehr stark, das zeigen die drei roten Bärchen. So stark, daß Sie Ihre Träume verwirklichen können.

AUSSTRAHLUNG
KLARHEIT
SICHERHEIT

Rot	Gelb	Weiß	Grün	Orange
3	–	1	1	–

Paris. Haute Couture. Sie auf dem Laufsteg. Als Model. Mit cooler Geste. Mit lässigem Schritt. Sie werfen den Kopf ein bißchen zurück, Sie drehen die Hüften, und das Publikum vergißt zu atmen. So aufregend sind Sie. Ja, können Sie sein! Sie haben das Talent dazu. Haben die Ausstrahlung. Das Charisma. Wir würden Ihnen ja gern was Boshaftes sagen, aber Sie haben nun mal diese wundersame Kombination gezogen. Die drei roten Bärchen stehen für Energie, Freude und erotische Ausstrahlung, das weiße für geistige Kraft, das grüne für gesunden Menschenverstand, damit Sie nicht abheben. Sie wollen gar kein Model sein? Macht nichts. Entscheidend ist, daß Sie in der Lage sind, andere Leute zu faszinieren. Weshalb? Zum Beispiel, weil Sie nicht risikoscheu sind. Sie knallen mal den Hörer hin. Mucken gegen ein Amt auf. Lassen ein schlechtes Essen zurückgehen. Riskieren, daß man Sie ablehnt, daß Sie auch mal verlieren. Und deshalb gewinnen Sie. Weiter: Sie sind sich klar darüber, was Sie

im Innersten wünschen. Und Sie stehen dazu. Sie richten Ihre Gedanken nicht auf das Negative, das Sie vermeiden möchten, sondern auf das Positive, das Sie erreichen wollen. Die meisten Menschen, beinahe wir alle, neigen dazu, das innere Feuer zu ersticken. Wir haben Angst vor Feuerausbrüchen, speziell vor unserer eigenen Wut. Sie nicht. Doch? Ein bißchen? Dann schreien Sie mal im Wald oder im Auto. Schlagen Sie auf ein Kissen ein. Heulen Sie, stampfen Sie. Schon kommt Ihre gestaute Energie in Fluß. Gut, vielleicht müssen Sie noch das eine oder andere tun. Noch ist nicht alles so, wie wir es hier beschrieben haben. Aber nachdem Sie diese Bärchen-Kombination gezogen haben, wird es sich so entwickeln. Es muß kein Laufsteg sein. Ihre Power ist überall willkommen. Und Leute, die applaudieren, werden sich sofort freiwillig melden. Wir sind dabei.

ENERGIE
LIEBE
FLATTERHAFTIGKEIT

Rot	Gelb	Weiß	Grün	Orange
3	–	1	–	1

Oh, oh, oh. Und wir haben Sie immer für anständig gehalten! Aber diese Bärchen-Kombination offenbart Ihre innersten Gedanken! Ja, sie ermöglicht es uns, Ihre buntesten Träume zu erraten. In denen treiben Sie es mit dem Freund Ihrer Freundin oder umgekehrt. Mit dem Typen oder der Lady aus dem Dachgeschoß. Mit Lehrer oder Lehrerin. Mit Fremden ohne Gesicht. Mit Ihrer Stiefmutter oder Ihrem Daddy. Sogar eine lustvolle Vergewaltigung erleben Sie. Überhaupt wundern Sie sich nach dem Aufwachen, was Ihr Unterbewußtsein für Wünsche hat. Uns wundert das nicht. Bei Ihren Energien! Denn hinter solch geheimen Gedanken und hinter solchen Bärchen steckt Power. Steckt schöpferische Potenz. Ein starkes Triebleben. Allerdings deuten viele verschiedene Traumpartner nicht nur auf unerschöpfliche Lust, sondern auch auf vielfältige Begabungen. Diese Kombination zeigt nicht nur Ihre erotischen Sehnsüchte an (dreimal Rot), sondern ein reiches kreatives Potential (Weiß plus Orange). Was sie nicht anzeigt, ist Treue. Es wäre glatt gelogen, wenn wir behaupten würden, Sie wären jemand von der zuverlässigen Sorte. Okay, Sie tun Ihr Mögliches. Aber das hat seine Grenzen. Sie sind immer wieder Verlockungen ausgesetzt. Sie sind ablenkbar. Leicht entflammbar. Sind flatterhaft wie ein Schmetterling im Sommerwind. Und wenn Sie es bisher nicht gemerkt haben, spätestens nach diesem Bärchen-Fang kriegen Sie es mit. Sollen wir Ihnen einen Rat auf den Weg geben? Machen Sie was aus Ihren schöpferischen Kräften. Der Maler Matisse, der ständig erotische Träume hatte, machte Gemälde daraus. Die Schriftstellerin Anais Nin holte sich den Stoff für scharfe Stories. Madonna komponierte Love Songs. Sie können den Stoff auch direkter verwenden: Sie erzählen Ihre Träume (aber vielleicht nicht alle) Ihrem Lover. Das spitzt an. Auf jeden Fall werden Sie jetzt eine Menge in Bewegung setzen. Direkt schade, daß Sie so weit weg wohnen.

ENERGIE
BEQUEMLICHKEIT
AUFBRUCH

Rot	Gelb	Weiß	Grün	Orange
3	–	–	2	–

Es ist eine Schande. Es ist ein Kreuz mit Ihnen! Es ist eine Schande, daß Sie nicht mehr machen, Sie mit Ihrer Power, mit Ihrer Liebeskraft, mit Ihrer fröhlichen Energie! Daß Sie sich statt dessen immer wieder hängenlassen. Wir sehen doch von hier aus, daß Sie immer mal wieder wie ein Kartoffelsack ins Sofa sinken und Ihre vibrierende Spannung vom Fernseher einlullen lassen. Ey! Abschalten! Aufwachen! Sie können soviel erreichen, andere würden sich die Finger lecken nach Ihren Möglichkeiten! Na ja, aber

Sie haben die längste Zeit geschlafen. Ihnen wird jetzt das Sofa unterm Steißbein weggezogen. Denn drei rote Bärchen (High Energy) sind einfach stärker als zwei grüne Bärchen (Versacken). Mit anderen Worten: Sie legen los. Sie überwinden dieses Phlegma, das Ihren Hintern zu Boden zieht. Sie hauen auf die Pauke. Sie lassen Ihrem inneren Tiger die Zügel schießen. Sie schwingen sich auf seinen Rücken und sehen mal, wohin er sie trägt. In die Wildnis! Ins Abenteuer! Das ist unausweichlich angesagt, sonst hätten Sie diese Kombination nicht gezogen. Machen Sie sich auf Überraschungen gefaßt und warnen Sie schon mal Ihre nähere Umgebung. In nächster Zeit geht die Post bei Ihnen ab. In Sachen Liebe. Oder sagen wir lieber gleich: Leidenschaft. In Sachen Freude. Oder sagen wir: Enthusiasmus. In Sachen Power. Weil Sie nicht länger den Deckel auf Ihren Dampftopf halten. Weil Sie aufmachen. Weil Sie sich durchsetzen. Okay, da bleibt diese Neigung von Ihnen, alle viere von sich zu strecken und sich tot oder schlafend zu stellen. Weil das bequem scheint. Weil Sie diesen Hang zur

Bequemlichkeit haben. Aber Sie schnallen jetzt, daß Sie total aktiv und trotzdem innerlich seelenruhig sein können. Daß Sie jede Menge Feuerwerk abfackeln und dennoch ganz entspannt sein können. Das wird richtig gut.

LEIDENSCHAFT
ENERGIE
SELBSTVERTRAUEN

Rot	Gelb	Weiß	Grün	Orange
3	–	–	1	1

Es gibt Leute, die werden von einem inneren Feuer angetrieben, das leuchtet und brennt, und andere, das sind die meisten, deren Licht matt und deren Temperatur lau ist. Sie haben inneres Feuer. Haben Power. Haben erotische Ausstrahlung. Spätestens ab heute. Denn für all das stehen die drei roten Bärchen. Im Gegensatz zu anderen haben Sie mitgekriegt, daß es glücklicher macht, wenn Sie Ihre Lebendigkeit nach außen tragen, statt sie immer wieder einzuschränken und zuzudecken. Daß Sie intensiver leben, wenn Sie es nicht allen recht machen. Sie haben den Mut authentisch zu sein – also genau das zu zeigen, was Sie sind und was Sie fühlen. Sie haben die Kurve gekriegt. Die Kurve auf Ihre eigene Straße. Das zeigt das kreative orangene Bärchen: Sie sind auf dem allerbesten Wege zu dem, was Sie immer machen wollten. Und was andere nicht zu tun wagen. Daß Sie nur ein einsames orangenes Bärchen haben, zeigt, daß Sie in Sachen Kreativität ein bißchen was tun sollten. Da geht nicht alles vor allein. Aber Sie haben ja genug Energie. Und Sie benutzen diese Energie nicht länger zum Unterdrücken Ihrer Wünsche, sondern zu deren Erfüllung. Und, das zeigt nun das grüne, Sie gewinnen ständig an Selbstvertrauen. Sie haben etwas, das auch nicht gerade alltäglich ist: Stolz. Sie zeigen, daß Sie sich nicht alles bieten lassen. Sie können eine klare Grenze ziehen. Können Nein sagen. Sie sind bereit, etwas zu riskieren. Im Gegensatz zu den Leuten, die lieber auf Nummer Sicher gehen und fett und grau im Fernsehsessel hängenbleiben. Nicht Sie. Sie sind bereit die volle Schwingung des Lebens zu leben, nach oben wie nach unten. Dann mal los. Winken Sie uns doch gelegentlich zu.

34

LEIDENSCHAFT
ENERGIE
LEICHTFERTIGKEIT

Rot	Gelb	Weiß	Grün	Orange
3	–	–	–	2

Sie sind leidenschaftlich. Und unruhig. Aktiv. Und ein bißchen oberflächlich. Sexy. Und leichtgläubig. All das zeigt diese Bärchen-Kombination an. Sexy und leichtgläubig? Ja, mit Charme kann man Ihnen allerhand einreden. Wenn in irgendeinem Film ein Paar wild auf dem Küchentisch tobt, dann wollen Sie das nachmachen. Und wundern sich, wenn unter ihnen der Tisch zusammenbricht und Sie auf dem Camembert landen. Oder eine Zeitschrift gaukelt Ihnen vor, im Ruderboot sei die Liebe besonders romantisch. Und Sie halten sich dran, kentern prompt und kippen in die Entengrütze. Es ist toll, wieviel erotische Energie in Ihnen steckt! Wieviel Enthusiasmus! Aber lassen Sie sich nicht alles aufbinden. Drei rote Herzen und zwei orangene Signallampen sind in England das Wahrzeichen einer berühmten Vereinigung: der Interessengemeinschaft der durch Heirats-schwindler Geschädigten. Dreimal Rot, zweimal Orange haben Sie gezogen. Okay, Sie werden niemals zu dieser Gemeinschaft gehören. Aber es kann Ihnen passieren, daß Sie Schwindeleien glauben. Gerade, wenn Sie lieben. Es passiert

Ihnen, daß Sie sich auf Worte verlassen, die nie ernst gemeint waren. Gerade wenn Sie voller Begeisterung sind. Ist das schlimm? Nein. Sie machen es ja genauso. Denn Leichtgläubig-keit und Leichtfertigkeit gehören zusammen. Fragen Sie sich doch mal, ob nicht auch Sie manchem netten Menschen was vorgemacht haben. Nicht absichtlich. Aber immer dann, wenn Ihr Feuer schnell entzündet ist, erlischt es auch bald. Und es gibt Leute, die da nicht mitkommen. Die das trifft. Und die überlegen, ob sie nicht eine Vereinigung der durch Liebesschwindler Geschädigten gründen sollten. Mit Ihrem Foto auf dem Fahndungsplakat. Würde Ihnen das Spaß machen? Klar, das würde es. Weil Ihnen das Leben Spaß macht. Nach diesem Bärchen-Zug erst recht.

UNGEDULD
ARBEIT
WOHLSTAND

Rot	Gelb	Weiß	Grün	Orange
2	3	–	–	–

Reichtum macht nicht glücklich. Aber um einiges glücklicher als Armut. Und da trifft es sich gut, daß Sie die Zaster-Kombination mit den drei gelben Bärchen gezogen haben. Die bedeuten nämlich nichts anderes, als daß Sie demnächst durch den Fluß des Geldes waten. Mit offenen Händen und Riesentaschen.

Dreimal Gelb, das heißt, Sie werden in Sachen Karriere, Arbeit, Wohlstand mächtig unterstützt. Das ist sicher. Aber Sie haben auch noch zwei rote Bärchen gezogen. Und die sind eine Art Warnung. Wovor? Vor Ihrer Ungeduld. Vor Ihrer unterdrückten Wut. Standen Sie nicht neulich an der Ampel hinter uns, und kaum war grün, drückten Sie schon heftig auf die Hupe? Na, danke. Oder waren Sie das, der oder die ungeduldig die Telefonzelle umkreiste, während wir drinnen gemütlich plauderten? Sie immer mit hartem Schritt um die Zelle herum. Und dann die Arme in die Hüften gestemmt. Und heftig gegen die Scheibe geklopft. Die Glut in Ihren Augen machte sich ja ganz gut. Aber Sie waren sauer, stinksauer. Und falls Sie das nicht waren, werden Sie sich demnächst garantiert in so einer Situation befinden. Die zwei roten Bärchen sind ein deutlicher Hinweis. Es steckt in Ihnen eine knallige Portion aggressiver Energie, die plötzlich hervorbrechen kann. Egal, ob Sie darüber selbst erschrocken sind, und ob es Ihnen später leid tut: Die Gefahr besteht darin, daß Sie sich durch Heftigkeit, Anspannung, Ungeduld selbst in die Quere kommen. Daß Sie hoffnungsvolle grüne Keime von Projekten und Beziehungen unbedacht niedertrampeln. Aber Sie kennen ja jetzt das Gegenmittel: Arbeit. Die drei gelben Bärchen besagen, daß Sie Ihr Potential an Wut-Energie nur in den Kanal Arbeit umzulenken brauchen. Und schon können Sie sich im Glanz aalen. Schon regnet es Sterntaler. Also klotzen Sie ran, Mensch! Zur Feier der ersten Million kommen wir vorbei.

AGGRESSION
SCHÄRFE
HEILKRAFT

Rot	Gelb	Weiß	Grün	Orange
2	2	1	–	–

He! Vor Ihnen muß man sich ja richtig in acht nehmen. Man muß ja warnen vor Ihnen! Wissen Sie, welche Farben Sie gezogen haben? Die Farben des französischen Verbandes der Tontauben-Schützen! Ja, ja! Rot-gelb-weiß-gelb-rot ist dessen Flagge. Oje! Was soll denn das? Wollen Sie etwa auf unschuldige Tontäubchen ballern? Damit es Scherben regnet? Na gut, das wollen Sie nicht.

Aber im übertragenen Sinn machen Sie das. Sie haben die Farben der Aggression (zweimal Rot) und der Verbohrtheit (zweimal Gelb) gezogen. Dazu allerdings das weiße Bärchen der Klarheit und Freiheit. Dazu kommen wir gleich. Aber erst mal müssen wir noch auf Ihnen herumhacken. Also: Sie sind ja wohl ein bißchen überdreht, was? Ungeduldig, wie? Dazu ein bißchen neidisch, oder? Und starrsinnig? Stimmt das? Stimmt! Sonst hätten Sie andere Bärchen gekriegt. Sie wischen anderen gern eins aus! Und das tun Sie am liebsten auf die indirekte Art. So von unten. Von hinten. Oder von weitem, wenn Sie selbst unerreichbar sind. Weil Sie nicht gerade der Mut in Person sind. So. Reicht das? Reicht. Was wir da aufgezählt haben, ist einfach nur die Kehrseite einer hervorragenden Eigenschaft: Sie sind enorm kritikfähig. Sie sehen sofort, wenn wo was nicht stimmt. Das sehen Sie auch bei sich selbst. Mit Ihrem Scharfblick können Sie jemanden abschießen. Aber Sie können ihm auch helfen. Und Sie haben jetzt ein weißes Bärchen gezogen, das Symbol der Intuition, der geistigen Führung, der Heilkraft. Was nichts anderes heißt, daß Sie gerade dabei sind, Ihre erstaunliche Begabung in segensreichen Balsam zu verwandeln. Ein spannender Vorgang! Wenn Sie damit fertig sind, melden Sie sich doch mal bei uns.

KRITIK
BEGRENZUNG
SELBSTVERTRAUEN

Rot	Gelb	Weiß	Grün	Orange
2	2	–	1	–

Zwei rote und zwei gelbe Streifen, von einem grünen Band umwunden, das ist das Wappen der traditionsreichen British Critics Association. Das ist die Vereinigung britischer Kritiker, Musikkritiker, Kunstkritiker, Literaturkritiker, Restaurantkritiker. So eine Vereinigung gibt es vielleicht nur in England. Aber Kritiker gibt es auch bei uns. Sie zum Beispiel. Sie gehören sogar zu der besonders scharfen Sorte der Kritiker. Ob Sie das immer offen äußern, wissen wir nicht; wir haben da sogar unsere Zweifel.

Aber in Ihrem Köpfchen rattert eine Urteilsmaschinerie, eine geistige Guillotine. Ist was dagegen zu sagen? Überhaupt nicht. Sie haben eben einen scharfen Verstand. Nur, dieser Verstand könnte Ihnen gelegentlich im Wege stehen. Weil Sie dauernd Urteile abgeben, nicht über andere, sondern auch über sich selbst. Sie bewerten ständig, was Sie tun. Und das kann enorm hemmen. Da zum Beispiel, wo es auf Offenheit ankommt: in der Liebe, in der Sexualität. Auch in der Kunst, wenn Sie selbst kreativ sein wollen. Zweimal Rot steht für eine latente Aggressivität, aber auch für die Furcht, die dahintersteckt. Zweimal Gelb für Begrenzungen und Blockaden und den Neid, der daraus entsteht. Das eine grüne Bärchen aber steht für die Wandlung, die sich gerade bei Ihnen vollzieht. Für Ihre Bereitschaft, Klarheit zu schaffen in Beziehungen, im Job, in Ihrer Wohnung. Für die Leichtigkeit und Souveränität, die Sie erlangen, indem Sie unerledigte Angelegenheiten abschließen. Für das Selbstvertrauen, das Ihnen dadurch zuwächst. Und das Ihnen ermöglicht, Ihr Urteilsvermögen so einzusetzen, daß es Ihnen und anderen hilft. Und den Verstand mal abzuschalten, wenn nur Gefühl gefragt ist. He! Nicht lästern! Abschalten!

AGGRESSIVITÄT
WIDERSTAND
HEITERKEIT

Rot	Gelb	Weiß	Grün	Orange
2	2	–	–	1

Oh, das hätte den Marquis gefreut! Er hätten Sie sofort in seine Crew aufgenommen! Ja, er hätte Sie vielleicht zum Meisterschüler gemacht. Von wem die Rede ist? Na, vom Marquis de Sade, dessen Farben Sie gezogen haben. Ob er zweimal Rot so gern mochte, weil es ihn an Blut erinnerte? Und zweimal Gelb, weil ihm am Ende nur noch zwei gelbe Zähne zum Beißen geblieben waren? Oder ob er diese Farben lediglich schätzte, weil sie in seinem Wappen auftauchten? Wir wissen es nicht. Wir wissen nach dieser Farbkombination nur, daß Sie eine leise, ganz sachte Neigung zum Sadismus haben. Jawohl, zum Sadismus! Und damit auch zum Gegenpol, zum Masochismus. Zum verletzenden und selbstverletzenden Verhalten. Gut, nicht? Finden Sie gar nicht so gut? Sehen wir es genauer an. Zweimal Gelb heißt Hemmungen und Blockaden. Zweimal Rot steht

für den aggressiven Versuch, diese Blockaden zu überwinden. Das sieht dann so aus, daß Sie Ihre Sympathie nicht ausdrücken

können und statt dessen eine dumme Bemerkung machen. Daß Sie nicht sagen mögen, daß Sie jemanden lieben, und daß Sie ihn statt dessen zwicken und kneifen. Daß Sie das Gefühl haben, Sie spüren das Leben besonders intensiv, wenn es schmerzt. Wenn Sie sich an einem Widerstand reiben. Wie weit Sie dieses Gefühl kultivieren, ist Ihnen überlassen. Soweit wie der Marquis werden Sie nicht gehen. Denn etwas unterscheidet Sie von ihm: Ihr Humor. Sie haben ein orangenes Bärchen gezogen, und das steht für spielerische Nei-

43

gungen, für Heiterkeit, für Kreativität. Und das heißt auch: Die Faszination des Schmerzes wird überwunden durch die Anziehungskraft der Freude. Der Lebenslust. Der Leichtigkeit. Eine interessante, verlockende Kombination!

FURCHT
IRRTUM
ENTSCHEIDUNG

Rot	Gelb	Weiß	Grün	Orange
2	1	2	–	–

Ausgerechnet Sie! Diese Farben waren die Lieblingsfarben von Mae West! Die war die erste Sex-Queen des amerikanischen Films. Ein Bouquet aus zwei roten Blüten, zwei weißen und einer gelben ließ Sie stets dem Mann zukommen, den Sie auserwählt hatte. Was bedeutet das? Daß Sie ein erotischer Superstar sind? Mal sehen.

Zweimal Rot steht für Furcht, die sich in Aggressivität äußern kann. Zweimal Weiß heißt Irrtümer und Illusionen. Auf den ersten Blick nicht auffallend erotisch. Aber da ist noch ein gelbes Bärchen, und das steht für Entschiedenheit und Entwicklung. Damit kommen wir der Sache nahe. Zweimal Rot: Jahrelang, erklärte Mae West, habe sie sich vor Sex gefürchtet, weil sie dachte, sie mache vielleicht etwas falsch. Was sie selbst wollte, habe sie lange gar nicht gewußt. Zweimal Weiß: Am Anfang habe sie gedacht, es käme auf Schönheit an, und den Schönheitsnormen entsprach sie nicht. Auch hatte sie von einem idealen Orgasmus gelesen und wollte partout den erreichen. Erst als sie diese Irrtümer beiseite geräumt hatte – man dürfe nichts falsch machen, Schönheit sei wichtig, es gebe beim Sex ein Ziel –, erst als sie nur noch dem eigenen Gespür folgte, lief alles wie von selbst, der Sex, der Job, das Leben. Alles klar? Sie wissen, daß Sex nur eine Ausdrucksform der Lebensenergie ist. Wenn Ihnen eine andere Form wichtiger ist, gilt dennoch das gleiche: Sie müssen sich darüber klarwerden, was Sie wollen, nur Sie selbst, und diesem Willen folgen. Dann überwinden Sie jede Furcht. Sobald Sie enge Normen und Ideale verabschieden, verschwinden Ihre Hemmungen. Sie sind gerade dabei, diesen Schritt zu tun. Das zeigt das aufmüpfige gelbe Bärchen. Sie haben sich für Ihren eigenen Weg entschieden. Und der wird spannend.

AGGRESSIVITÄT
KLÄRUNG
AUFTRIEB

Rot	Gelb	Weiß	Grün	Orange
2	1	1	1	–

Sie geben gern zu, daß Sie ein paar Schwächen haben. Aber grundsätzlich halten Sie sich für einen liebevollen und vernünftigen Menschen. Sie halten sich für gut. Daß Sie auch mißgünstig, herrschsüchtig und egoistisch sind, wollen Sie nicht wahrhaben. Sind Sie aber. Sonst hätten Sie nicht die beiden süßen roten Bärchen gezogen. Die bedeuten: Sie unterdrücken Energie. Und diese Energie taucht erstens immer wieder in unschönen kleinen Ausfällen auf. Und begegnet Ihnen zweitens in anderen Leuten. Wenn Sie sich zum Beispiel mit Ihrem eigenen Machtstreben nicht auseinandersetzen, werden Sie einem autoritären Chef begegnen und damit nicht klarkommen. Wenn Sie Ihren Zorn unterdrücken und sich immer friedfertig geben, werden Sie einen streitenden Partner bekommen. Haben Sie schon? Trösten Sie sich: Wenn Sie sich trennen und jemand anderes finden, wird auch der sich bald als Unterdrücker erweisen. Die Konstellationen wiederholen sich so lange, bis Sie Ihre eigene aggressive Energie ans Licht holen. Denn die fehlt Ihnen zur Lebendigkeit. Ans Licht holen? Ja, ganz einfach. Schreien Sie mal im Wald oder im Auto. Schlagen Sie auf ein Kissen ein und stellen Sie sich dabei ein Gesicht vor. Heulen Sie, grollen Sie, stampfen Sie. Sie werden sich wunderbar durchströmt fühlen und wach sein und leuchtende Augen haben. Oder nehmen Sie Gesangsunterricht. Es gibt viele Wege, gestaute Energie in Fluß zu bringen. Und noch mehr Wege, sie dann einzusetzen. Ihr grünes Bärchen zeigt, daß Sie auf diese Weise zu Festigkeit und Selbstvertrauen gelangen. Das weiße deutet an, daß Sie eine ungewohnte Klarheit des Geistes, ja, überhaupt des Lebens erreichen. Und das gelbe, daß Ihnen damit Erfolg beschieden ist. Also raus mit der Wut. Zerreißen Sie ruhig dieses Buch! Aber kaufen Sie dann sofort ein neues. Damit wir auch was davon haben.

SPANNUNG
INTUITION
KREATIVITÄT

Rot	Gelb	Weiß	Grün	Orange
2	1	1	–	1

Eine brisante, eine gefährliche, eine dramatische Kombination! Stellen Sie sich mal vor, Sie sehen aus dem Fenster, und drüben im Haus Ihrer Nachbarn geschieht ein Mord. Oder schlimmer: Sie gehen über die Straße, plötzlich hören Sie ein Schwirren in der Luft, dazu gellende Vogelschreie, und ein Schwarm schwarzer Krähen stürzt sich auf Sie! Noch schlimmer: Sie stehen unter der Dusche, da geht die Tür des Badezimmers auf, und ein Fremder schleicht herein mit einem Messer in der Hand! Grusel! Schock! Schrei! Werden Sie so etwas erleben? Bestimmt nicht. Aber es ist gut möglich, daß Sie so etwas erfinden. Denn Sie haben die Lieblingskombination von Alfred Hitchcock gezogen. Für einen Thriller, so sagte er, braucht man Bosheit und Angst (zweimal Rot), Intuition (weiß), Ehrgeiz (gelb) und spielerische Kreativität (orange). Genau diese Farben haben Sie aus der Tüte gefischt. Sie können die übrigens auch zu Hitchcocks Lieblingsdrink mixen: Tequila Sunrise. Aber viel wichtiger: Die kräftige Portion Aggressivität, die Sie mit sich tragen (zweimal Rot), und die gekoppelt ist mit einer vagen Furcht – diese innere Spannung können Sie schöpferisch verarbeiten (orange). Sie haben nicht nur den nötigen Ehrgeiz (gelb), Sie können vor allem Ihrer inneren Stimme vertrauen (weiß) statt den Stimmen der anderen. Sie wissen schon, was Sie eigentlich tun wollen und tun sollen. Sie spüren, wohin Ihre Begabung weist. Sie müssen ihr nur folgen. Krimis sind lediglich eine Ihrer vielen Möglichkeiten, und vielleicht nicht die beste. Obwohl: Wir würden zu Ihren Lesern oder Zuschauern zählen. Mit Vergnügen.

TATENLOSIGKEIT
OHNMACHT
AUFBRUCH

Rot	Gelb	Weiß	Grün	Orange
2	1	–	2	–

Kann es sein, daß Sie manchmal ausrasten, weil es einfach nicht weitergeht? Daß Sie deprimiert sind, weil nichts sich bewegt? Oder daß sich andere Leute ärgern, weil Sie nichts verändern? Das kann nicht nur sein. Das ist so. Aber das ist die längste Zeit so gewesen. Ihre Kombination steht für Stagnation (zweimal Grün) und für gestaute Wut und Ohnmacht (zweimal Rot). Leute, die mit dieser Kombination durchs Leben gehen, erkennt man am bitteren Zug um den Mund. Sie nicht. Denn Sie haben noch ein gelbes Bärchen gezogen. Und das bedeutet: Sie werden aus ohnmächtiger Wut Power machen. Und Tatenlosigkeit in Festigkeit verwandeln. Ist Ihnen noch Tina Turner bekannt? Die ließ sich zehn Jahre lang von ihrem Mann vermöbeln. Eines Tages, dachte sie, wird das Schicksal mich erlösen. Tat es aber nicht. Die Ehe ging immer so weiter mit Platzwunden und Prügelstrafen. Bis Tina sich auf die Socken machte. Anzeige erstattete, den Kontakt abbrach. Heute sagt sie: Das Schicksal unterstützt nur den, der selbst was tut. Nicht länger warten – anfangen! sagte sich ein kleiner Angestellter namens Lee Iacocca, der in einem dumpfen Büro vor sich hindämmerte. Eigentlich hatte er gedacht, irgendein Boss würde ihn da mal finden und rausholen. Kam aber keiner. Da dachte der kleine Lee: Wenn ich weiter hoffe und warte, staube ich ein. Und fing an, Kurse zu machen, Führungstrainings, Verkaufsseminare. In seiner Freizeit, auf eigene Kosten. Und auf einmal zwitscherte er ab auf der Karriereschiene. Zufällig? Nein, weil er sein Schicksal selbst in die Hand genommen hatte. Ein paar Jahre später war er der höchstbezahlte Chef der Welt. Und Sie? Sie sind das noch nicht. Aber Sie sind bereit, ein Risiko einzugehen. Das gelbe Bärchen zeigt es. Sie sind zu lebendig, um zu versacken. Zu neugierig, um auf der Stelle zu treten. Sie haben jetzt den Mut, Probleme anzupacken, an die Sie sich lange nicht herangewagt haben. Sie werden wagen. Und gewinnen. Garantiert.

UNGEDULD
KREATIVITÄT
AUFSTIEG

Rot	Gelb	Weiß	Grün	Orange
2	1	–	1	1

Wenn uns nicht alles täuscht, haben wir kürzlich neben Ihnen im Konzert gesessen. Oder war es im Flugzeug? Jedenfalls mußten wir uns eine Lehne teilen. Ellbogen gegen Ellbogen. Na, erinnern Sie sich? Eben. Wir erinnern uns auch. Wie Sie gedrückt haben. Weil Sie die Lehne für sich wollten. Oder waren Sie das neulich im Supermarkt? Mit dem Wagen heftig drängelnd, um nur ja an die kürzeste Schlange zu kommen? Und dann standen Sie da länger als alle anderen? Das waren Sie. Zwei rote Bärchen heißt: Sie

haben eine Portion Wut im Bauch. Sie toben nicht hemmungslos herum, das nicht. Aber Sie sind immer mal wieder aggressiv. Wenn Sie nämlich das Gefühl haben, Sie kommen zu kurz, oder es geht zu langsam, oder Sie werden übervorteilt. Und das Gefühl haben Sie häufiger. Warum? Weil Sie Ihre Energie unterdrücken, statt sie zu nutzen. Aber genau das ändert sich jetzt. Sie haben ein orangenes Bärchen gezogen, das Symbol der Kreativität. Ein Türchen geht auf bei Ihnen, das Türchen zum unbegrenzten Reich Ihrer Einfälle und Ideen. Und Sie haben ein gelbes Bärchen gezogen, das Symbol der Arbeit und des Wohlstandes. Das heißt: Sie werden etwas aus Ihren Ideen machen, und das wird sich auszahlen. In barer Münze. Und schließlich haben Sie noch ein grünes Bärchen aus der Tüte geangelt, das Symbol gelassenen Selbstvertrauens und der Kontinuität. Ihr Aufschwung, heißt das, bleibt keine Eintagsfliege. Im Gegenteil, man kann sich auf Ihren Erfolg verlassen. Und ihre aggressive Energie wird sich zu innerem Feuer wandeln. Hört sich gut an, was? Ja, Sie dürfen sich freuen. Und

Sie können es sich leisten, großzügig zu sein. Sie haben es nicht nötig zu drängeln. Bei der nächsten Begegnung im Supermarkt lassen Sie uns also vor, okay? Und die Lehne im Konzert oder Flugzeug, die überlassen Sie uns, einverstanden? Na, wir sind gespannt.

UNZUFRIEDENHEIT
SCHMERZ
AUFBRUCH

Rot	Gelb	Weiß	Grün	Orange
2	1	–	–	2

Alle Achtung! Sie haben die gleiche Kombination von Farben gezogen, die auch im Wappen eines berühmten Ritters und Dichters auftauchen. Nämlich die Farben des Ritters Leopold von Sacher-Masoch. Kennen Sie nicht? Aber Sie wissen doch, was Masochismus ist? Na, sehen Sie. Der Ausdruck Masochismus geht auf diesen Ritter Leopold zurück. Er hatte was übrig für selbstquälerisches Verhalten, besonders in Liebesdingen. Sie nicht? Doch, Sie auch. Sonst hätten Sie nicht diese Bärchen gezogen. Zweimal Orange bedeutet eine gewisse Oberflächlichkeit und Unruhe. Zweimal Rot steht für den aggressiven Versuch, diese Oberflächlichkeit zu durchstoßen, auch für die Furcht, die dahintersteht. Das kann etwa so aussehen, daß Sie erst aufwachen, wenn etwas weh tut. Daß Sie immer wieder bis an Ihre Schmerzgrenze gehen. Mitunter provozieren Sie sogar, daß Sie verletzt werden. Und suchen Situationen auf, in

denen eine Verletzung ziemlich wahrscheinlich ist. Zum Beispiel treffen Sie immer wieder den Menschen, der Ihnen einmal weh getan hat, und der das noch öfter tun wird. Oder Sie liefern sich Leuten aus, die sich über Sie lustig machen. So etwas schmerzt, aber in diesem Schmerz spüren

Sie sich. Spüren Sie eine besondere Intensität des Lebens, vielleicht auch der Liebe. Denn Sie haben das Gefühl, daß die Oberfläche, auf der alle sich die meiste Zeit bewegen, nicht alles ist. Dieses Gefühl ist richtig. Und daß Sie jetzt ein gelbes Bärchen gezogen haben (die Farbe, die dem Ritter fehlte), heißt, daß Sie aus dieser Tiefe des Gefühles etwas machen werden. Es bedeutet, daß Sie zu ehrgeizig, zu neugierig, zu sehr auf der Suche sind, um im Erleiden des Lebens zu verharren. Sie wollen es gestalten. Und das werden Sie. Spätestens ab jetzt.

FURCHT
PHANTASIE
FREUDE

Rot	Gelb	Weiß	Grün	Orange
2	–	3	–	–

Ihre Liebesfähigkeit ist großartig. Überhaupt Ihre Vitalität. Aber kann es sein, daß Sie die gar nicht richtig ausleben? Aus Unsicherheit? Weil Sie sich selbst nicht so ganz trauen? Wir fragen das, weil Sie zwei rote Bärchen gezogen haben. Die stehen für eine Furcht, unter

der es brodelt, weshalb es gelegentlich zu aggressiven Ausbrüchen kommt. Daß Sie drei weiße Bärchen gezogen haben, ist allerdings Grund zum Feiern. Denn dreimal Weiß, das bedeutet Freiheit, bedeutet Phantasie, Sensibilität, Intuition. Eigenschaften, mit denen Sie Ihre gefesselte Energie in Freude umwandeln können. Gefesselte Energie? Wie soll denn das aussehen? Na, etwa so: Sie möchten wild tanzen, aber Sie trauen sich nicht; denn da sehen Leute zu, deren Urteil Sie fürchten. Oder Sie möchten jemanden umarmen, aber irgendwie haben Sie das Gefühl, die anderen fänden das unpassend. Sie möchten sich hemmungslos der Liebe hingeben, aber Sie haben den Eindruck, Ihren Partner würde das irritieren. Sie sind sensibel. Sie achten sehr auf andere. Aber manchmal zu sehr. Die Liebe ist nur ein Beispiel. Wenn Sie ständig darüber nachdenken, wie es Ihrem Partner gefällt, und ob es so richtig ist, werden Sie nicht glücklich. Und er auch nicht. Wenn Sie statt dessen mal Ihre Kontrollgedanken loslassen und Ihrer Intuition vertrauen, läuft alles wie von selbst. Und Sie haben eine wunderbare Intuition. Der werden Sie jetzt folgen, und nicht den Sätzen, die andere Ihnen einreden. Das bedeutet dreimal Weiß. Und Sie werden Ihre Phantasie fruchtbar machen. Seitensprünge finden Sie unangebracht? Machen Sie sie in der Phantasie!

Das wird Ihre Wirklichkeit enorm beleben. Den Strom der Ideen, der jetzt zu fließen beginnt, werden Sie ohnehin nicht aufhalten können.

VERSTIEGENHEIT
TÄUSCHUNG
KLARSICHT

Rot	Gelb	Weiß	Grün	Orange
2	–	2	1	–

Kennen Sie die Dichterin Friederike Kempner? Macht nichts. Da haben Sie nicht viel verpaßt. Obwohl: Für Sie wäre es vielleicht ganz aufschlußreich, mal ein paar Gedichte von der zu lesen. Könnte heilsam sein. Warum? Weil die Frau Ihre Farben im Wappen trug. Zwei rote und zwei weiße Blümchen umarmten sich darin. Das hielt die Frau für das Symbol von Reinheit in Liebe. Ist aber in Wahrheit das Symbol von Überspanntheit (zweimal Rot) und Illusion (zweimal Weiß). Das sind Eigenschaften, die auch Ihnen nicht völlig fremd sind. Nur haben Sie auch noch

 ein grünes Bärchen gezogen. Das bedeutet, Sie haben etwas, was die Kempner nie erlangte: Wirklichkeitssinn. Die nämlich hielt sich Ihr Leben lang für tiefgründig und romantisch und merkte nicht, wie die Leute über sie lachten. Sie war überaus komisch, aber leider nur unfreiwillig. So was haben Sie auch schon erlebt. Daß Sie sich oberschlau und feinsinnig dünkten, und andere haben nur gekichert. Daß Sie glaubten, Sie haben das Superlos gezogen, und andere mußten Sie darauf aufmerksam machen: Das ist eine Niete. So was wird Ihnen vielleicht noch mal passieren. Sie haben die Neigung dazu. Aber nicht mehr lange. Denn Sie haben ein grünes Bärchen gezogen. Und das zeigt an: Sie gewinnen Boden. Klarsicht. Selbstvertrauen. Sie bringen Ordnung in Ihre Schubladen. In Ihre widerstrebenden Gefühle. Sie erkennen, wohin Sie wollen. Und wo es langgeht. Man kann sich auf Sie verlassen. Wenn Sie trotzdem noch schwärmerischen Unsinn in die Welt setzen wollen, tun Sie es nur. Die Gedichte der Kempner werden heute noch gelesen. Zum Gaudi. Allerdings haben lediglich die Erben was davon. Das geben wir Ihnen zu bedenken.

PREDIGT
SELBSTÜBERSCHÄTZUNG
KREATIVITÄT

Rot	Gelb	Weiß	Grün	Orange
2	–	2	–	1

Sagt Ihnen der Name Peter von Amiens etwas? Oder Bernhard von Clairvaux? Papst Urban II.? Das waren Leute, die genau die Farben schätzten, die Sie gerade gezogen haben. Blutrot und Blütenweiß. Diese Leute waren Meister der Predigt. Der flammenden Predigt. Der Brandrede. Diese Leute verstanden es, Menschen zum Krieg aufzupeitschen. Denn sie waren die Prediger der Kreuz-

züge. Was hat das mit Ihnen zu tun? Nun, die beiden roten Bärchen zeigen: Sie haben die Power. Die Streitlust. Die Fähigkeit, andere zum Aufbruch zu bewegen, ja, sie sogar in Alarmstimmung zu versetzen. Sich selbst übrigens auch. Die beiden weißen Bärchen sagen: Sie haben überdies die Gewißheit, daß Sie im Recht sind. Daß Ihre Motive rein sind. Daß Sie berufen sind, andere geistig zu leiten. Diese Illusion, verbunden mit Ihrer kämpferischen Energie, ist eine aufreizende Kombination. Sie könnten glatt so was wie ein Sektengründer werden. Man würde Ihnen glauben. Aber Sie selbst würden damit nicht glücklich sein. Sie hätten dabei immer eine unter-

gründige Angst. Warum? Weil Sie Ihre fröhliche, unbeschwerte Seite unterdrücken müßten. Und genau die blüht jetzt auf. Sie besitzen nämlich noch etwas, was die Eiferer der Kreuzzüge nicht im geringsten besaßen: Humor. Dafür steht das orangene Bärchen. Sie haben ein heiteres Herz.

Eine verspielte Phantasie. Eine schöpferische Begabung. Und eben mit dieser Begabung werden Sie Ihre enormen Reserven an Energie und Visionen kreativ verwandeln. Ihr Potential ist großartig. Jetzt, mit neuen Kontakten, mit spielerischem Ausprobieren, mit Reisen im Geist und in der Wirklichkeit, werden Sie es entwickeln. Ein ganz klein wenig bedauern wir das allerdings. Wir hätten Sie so gern mal predigen gehört.

OHNMACHT
TATENLOSIGKEIT
KLARHEIT

Rot	Gelb	Weiß	Grün	Orange
2	–	1	2	–

Sie haben doch da diese Freundin oder Kollegin, die gern schlanker wäre. Die aber weiter ihre Kalorienbomben lutscht, daß es nur so schmatzt. Wieso ändert sie das nicht? Sie sagt: Ich weiß auch nicht, ich bin nun mal so. Oder: Das ist, glaube ich, mein Frust. Wenn ich eine gute Beziehung hätte ... Mag sein. Aber so wird sie die gute Beziehung nicht kriegen. Nicht, solange sie den Frust mit sich herumschleppt. Wie sie den los wird? Indem sie bei sich anfängt. Zum Beispiel bei den Lutschbomben. Damit sie sich wieder im Spiegel ansehen kann und stolz dabei ist. Aber das nur als Beispiel. Als Beispiel für Leute, die ein Leben lang mit der Bärchen-Kombination zweimal Rot, zweimal Grün herumlaufen. Was nichts anderes bedeutet als gestauter Ärger (zweimal Rot) plus Tatenlosigkeit (zweimal Grün). Eine Kombination, die komischerweise Sie jetzt gezogen haben. Nanu!

Wie kommt das denn? Ähneln Sie etwa dieser Freundin ein bißchen? Kann es vorkommen, daß auch Sie immer hoffen, daß sich irgendein Problem von selbst auflöst? Und daß sich bei all dem Hoffen und Warten der Ärger in Ihnen staut, so daß Sie mit dem Fuß aufstampfen möchten, weil nichts sich ändert? Kann vorkommen, nicht? Es muß ja nicht um Schlankheit gehen. Es geht um jedes Problem, bei dem Sie auf einen Anstoß von außen warten. Statt selbst in Gang zu kommen. Aber, das weiße Bärchen zeigt es, Sie sehen jetzt selbst klar. Weiß heißt: Ihre Intuition meldet sich zu Wort, und zwar energisch. Ihnen wird unmißverständlich klar, was Sie eigentlich wollen. So unmißverständlich, daß Sie loslegen. Den Anruf machen. Die Bewerbung schreiben. Die endlos aufgeschobene Entscheidung endlich fällen. Das unangenehme Gespräch riskieren. Sie werden nicht um jeden Preis auf Nummer Sicher gehen. Sie werden wagen. Und gewinnen.

WUT
KLARHEIT
KREATIVITÄT

Rot	Gelb	Weiß	Grün	Orange
2	–	1	1	1

Hochinteressant! Fast möchte man Ihnen eine Reinkarnations-Therapie nahelegen.

Sie haben Farben gezogen, die im Wappen zweier sonderbarer Leute der Vergangenheit auftauchen: nämlich bei Margarete Minde und bei Michael Kohlhaas. Die eine legte ihre Heimatstadt in Schutt und Asche, weil sie betrogen worden war. Der andere zettelte einen Feldzug an, weil man ihn bestohlen hatte. Beide waren im Recht; aber bei der Durchsetzung verloren sie jedes Maß. Tun Sie das auch? Nein. Aber Sie fühlen sich häufig übervorteilt. Zurückgesetzt. Ungerecht

behandelt. Und ärgern sich dann und schmieden Rachegedanken. Die führen Sie nicht aus, das nicht, aber in Ihnen staut sich die Wut. Das ist so bei zwei roten Bärchen: Die Energie wird unterdrückt und nicht genutzt. So war das bei Ihnen. Aber jetzt haben Sie ein orangenes Bärchen gezogen, das Symbol der Kreativität. Und das heißt: Ein Türchen geht auf bei Ihnen, das Türchen zum Reich Ihrer Einfälle und Ideen, und dieses Reich ist grenzenlos. Dazu haben Sie ein grünes Bärchen gezogen, das Symbol gelassenen Selbstvertrauens und der Kontinuität – ge-

nau das übrigens, was den beiden historischen Racheengeln fehlte. Und Sie haben noch etwas aus der Tüte gefischt, was die beiden nicht hatten: das Symbol der Klarheit und der Intuition, ein weißes Bärchen. Mit dieser Kombination können Sie nun allerdings eine Menge erreichen, ohne zu randalieren. Wenn Ihnen nach Randale zumute ist, bitte sehr. Aber die Orange-Grün-Weiß-Verbindung ist bestens geeignet, ihre aggressive Energie für glücklichere Taten zu nutzen. Klarheit, Selbstvertrauen und Kreativität, verbunden mit Energie und Durchsetzungskraft, damit können Sie sehr weit und sehr hoch kommen. Wenn Sie Lust haben. Und wir glauben, die haben Sie.

SPANNUNGEN
UNRUHE
KLÄRUNG

Rot	Gelb	Weiß	Grün	Orange
2	–	1	–	2

Geht es Ihnen gut? Ja? Na, sagen wir: So lala. Stimmt's? Die Bärchen, die Sie gezogen haben, weisen auf Unruhe hin. Es rumort in Ihnen. Und es rumort um Sie herum. Das ist keineswegs schlecht, aber Sie sind

irritiert. Zweimal Rot bedeutet Ungeduld, auch eine verhaltene Furcht. Und zweimal Orange nervöse Unruhe. Zeigt sich das nicht auch in Ihren Träumen? Leute mit dieser Bärchen-Kombination berichten von unerfreulichen nächtlichen Bildern. Da explodiert ein Flugzeug, Autos crashen. Oder bleierne Angst nistet in dunklen Räumen. Insekten kriechen über Ihr Kissen. Etwas Schwarzes läßt sich auf Ihnen nieder. Jemand liegt unterm Bett. Oder steht im Zimmer und will Sie ermorden. Oder Sie sind eingeschlossen. Zurückgelassen. Verloren. Kommt Ihnen das bekannt vor? Wenn nicht, seien Sie nicht überrascht, wenn Sie demnächst senkrecht im Bett sitzen. Gruselig? Ja, gruselig. Aber ein gutes Zeichen. Nämlich ein Zeichen für Reinigung. Nicht zufällig haben Sie ja auch ein weißes Bärchen gezo-

gen, das Symbol für Klarheit und Reinigung. Alpträume sind nämlich immer ein Zeichen dafür, daß etwas in Bewegung kommt. Daß Altes zurückgelassen wird. Daß ausgefegt wird. Und dieser Kampf wird gerade in Ihrem Inneren ausgefochten. Sie werden ein bißchen geschüttelt, damit Sie bewußt und wach werden. Und wenn Sie es tagsüber nicht werden, seien Sie gewiß, Sie werden es nachts sein. Mit anderen Worten: Es beginnt eine Zeit neuer Chancen. Und das weiße Bärchen zeigt

schon an: Sie klettern eine Stufe rauf auf der Leiter Ihrer Entwicklung. Von da oben werden Sie plötzlich ungewohnt klar
sehen. Und eine neue Souveränität an den Tag legen. Noch
schwindelt Ihnen ein bißchen. Aber das gibt sich. Wir sehen
Ihnen jedenfalls gespannt beim Klettern zu.

ORDNUNG
UNGEDULD
HEILUNG

Rot	Gelb	Weiß	Grün	Orange
2	–	–	3	–

Sie haben eine ungewöhnliche Begabung, anderen Leuten zu helfen. Sie können Hektikern Ruhe geben, Chaoten Klarheit verschaffen, Orientierungslosen die Richtung zeigen. Das können Sie. Und noch mehr. Denn Sie besitzen heilende Fähigkeiten. Nicht zufällig haben Sie Rot und Grün gezogen, die Farben des Internationalen Verbandes esoterischer Masseure. Esoterischer Masseure? Vergessen Sie's. Sie haben einfach ein gutes Körpergefühl. Für sich selbst und für andere. Und da ist es egal, ob Sie das japanisch Shiatsu nennen oder hawaiianisch Lomi-Lomi oder chinesisch Qi Gong oder Esalen oder Reiki oder Rolfing, oder ob Sie zu Ihrem Partner einfach sagen: Leg dich hin, ich knete dich jetzt mal durch. Sie haben einfach das Talent. Sie spüren, wo im Körper Verspannungen sitzen, wo sich was staut, wo Verkrampfungen gelöst werden müssen, wo Energie in Fluß kommen soll. Sie können solche Probleme wunderbar auf körperlicher Ebene lösen, aber auch auf geistiger; zum Beispiel, wenn jemand einfach nicht mehr weiter weiß. Sie können ihm zuhören. Sie können erspüren, was er oder sie eigentlich will. Sie können klärende Fragen stellen. Was Ihnen nur immer wieder in die Quere kommt, ist eine Mischung aus Furcht und Ungeduld. Eine innere Unruhe, die Ihnen die Klarheit Ihres Gespürs verdunkelt. Und unterschwellig wird so eine leichte Furcht vielleicht immer da sein. Aber das ist gut. Das hält Sie wach. Da hindert Sie daran, hochmütig zu werden und sich für den großen Guru zu halten. Denn die Begabung dazu haben Sie immerhin. Es gibt etliche – oder es wird etliche geben –, die sich als Ihr Schüler betrachten. Tragen Sie es mit Fassung. Üben Sie sich in

68

der wundersamen Begabung, Blockaden, Verhärtungen, Verspannungen aufzuspüren und zu lösen, körperlich und geistig, bei sich und bei anderen, und Sie haben Großes vor sich. Nehmen Sie uns schon mal in Ihren Terminkalender auf.

OHNMACHT
TATENLOSIGKEIT
KREATIVITÄT

Rot	Gelb	Weiß	Grün	Orange
2	–	–	2	1

Sie haben einen besseren Job verdient. Oder eine bessere Beziehung. Eine bessere Umgebung. Stimmt's? Stimmt. Und wieso stecken Sie noch in dem alten Sumpf? Weil Sie zwei rote und zwei grüne Bärchen gezogen haben. Was nichts anderes bedeutet, als daß Sie zu lange auf den Anstoß von außen warten. Können wir ja verstehen. Ist menschlich. Das ist so wie bei dieser Freundin von Ihnen, die

immer am Computer sitzt und emsig arbeitet. Deren Boss das leider nicht so richtig merkt. Und die lange, viel zu lange, keine Gehaltserhöhung mehr gekriegt hat. Die müßte eigentlich mal hingehen und nachfragen. Tut sie aber nicht. Ich bin heute irgendwie nicht in der Stimmung dazu, sagt

sie. Oder: Da müßte ich besser draufsein. Aber das Schicksal funktioniert umgekehrt. Erst den inneren Schweinehund überwinden und mal ein Risiko eingehen, dann bessert sich die Stimmung wie von selbst. Hoffen und Warten führt zu nichts. Außer zu einem lähmenden Frustgefühl. Wer nicht wagt, hat ein Urahn von Ihnen gesagt, der nicht gewinnt. Schlimmer noch: Wer nichts wagt, der verliert. Der verliert nach und nach sein Selbstbewußtsein und behauptet am Ende, er habe ein ungünstiges Schicksal gehabt. Barer Unsinn. Der Trick der Leute, die ihre Träume nicht nur träumen, sondern leben, ist ganz einfach: Was wagen. Und genau das machen Sie nun. Das orangene Bärchen zeigt es: Sie kriegen jetzt einen kreativen Kick. Sie spüren Hummeln im Popo. Sie werden den Anruf machen. Die Bewerbung schreiben. Die endlos aufgeschobene Entscheidung endlich fällen. Das unangenehme Gespräch riskieren. Über haupt: ein Risiko eingehen. Nicht auf Nummer Sicher gehen und sich selbst verleugnen. Auch nicht in Beziehungen. Es kommt Licht und Heiterkeit in Ihre Bude. Weil Sie die Vorhänge aufziehen und für Klarheit sorgen. Sieht gut aus für Sie!

SCHADENFREUDE
VERSTELLUNG
SELBSTVERTRAUEN

Rot	Gelb	Weiß	Grün	Orange
2	–	–	1	2

Zweimal Orange bedeutet Oberflächlichkeit. Zweimal Rot Aggressivität. Wie geht das zusammen? Zum Beispiel so. Ihre Nachbarn haben einen großartigen Urlaub verlebt. Das Wetter war phantastisch, die Landschaft einmalig, das Quartier luxuriös und trotzdem billig, und alle haben sich blendend verstanden. Schön, nicht? Da freuen Sie sich für Ihre Nachbarn! Oder? Oder würden Sie sich mehr freuen, wenn die Koffer dieser Leute am Ende des Urlaubs statt nach Hause nach Timbuktu geflogen wären? Wenn es die meiste Zeit geregnet hätte? Wenn neben dem Hotel eine Baumaschine gedröhnt hätte? Klar, würde Sie das freuen. Sie würden nicht laut jubeln. Aber Sie könnten Ihre Nachbarn trösten, und das täte Ihnen gut. Sie sind nämlich schadenfroh. Ist das schlimm? Nein. Auch Affen klatschen sich vor Vergnügen auf die Schenkel, wenn einer ihrer Artgenossen oder gar der Wärter auf einer Banane ausrutscht. Schadenfreude ist natürlich. Bei Ihnen hängt sie erstens damit zusammen, daß Sie sich anderen überlegen fühlen möchten. Und zweitens finden Sie, daß ein Mißgeschick den anderen menschlicher macht. Er zeigt sich verletztlich. Deshalb fühlen Sie sich ihm näher. Denn das steckt hinter Ihrer Schadenfreude: Sie möchten mehr Nähe. Mehr Vertrautheit. Mehr Gefühl. Die beste Voraussetzung dafür entwickeln Sie gerade – Ihr Selbstvertrauen. Das grüne Bärchen zeigt es. Sie bringen Ihren eigenen Kram in Ordnung. Und bekommen dadurch soviel Klarheit, Selbstsicherheit, Stärke, daß Sie sich mit anderen sogar neidlos mitfreuen können! Nur, wenn Sie mal von einem besonders peinlich Mißgeschick hören - erzählen Sie uns davon. Damit wir auch mal eine Freude haben.

LEICHTIGKEIT
UNGEDULD
KREATIVITÄT

Rot	Gelb	Weiß	Grün	Orange
2	–	–	–	3

Von dem englischen Maler William Turner wissen wir, daß er in früher Jugend einen folgenreichen Unfall erlitt. Er stürzte und schlug mit dem Kopf auf einen Stein. Als er zu sich kam, stellte er fest, daß ihm die Umgebung unscharf erschien. Er sah alles dreifach. Man mußte ihn nach Hause tragen. Als er dabei in den Himmel blickte, hatte er ein Erleuchtungserlebnis: Er sah drei Sonnen. Und er war begeistert. Dieses Licht wollte er festhalten. Und als sich seine Sehkraft normalisiert hatte, begann er zu malen. Er wurde einer der Superstars der Kunstgeschichte, der größte Maler des Lichts. So. Und nun Sie. Sie brauchen keinen Unfall. Sie haben auch so dreimal Orange gezogen. Und das reicht, um zu garantieren: Sie entwickeln jetzt Ihre Schöpferkraft. Ihre spielerische Seite. Ihr heiteres Naturell. Die Sonnenenergie in Ihrem Inneren. Es beginnt eine Zeit

munterer Ideen. Eine Zeit, in der Sie leicht auf Leute zugehen können. Eine Zeit der Lust. Oder wollen Sie gleich übers Ziel hinausschießen? Werden Sie ungeduldig, wenn Sie nicht gleich auf Anhieb der Star sind? Wollen Sie die kreative Leichtigkeit durch Ungeduld und Machtstreben aufs Spiel setzen? Wollen Sie mit dem Kopf durch die Wand statt locker herumzuprobieren? Wir fragen das, weil Sie noch zwei rote Bärchen gezogen haben. Zweimal Rot weist auf Anpannung und Streitlust hin. He! Sie brauchen jetzt nicht zu kämpfen! Müssen nicht erobern. Es geht mühelos mit Phantasie! Aber das werden Sie schon merken. Denn dreimal Orange

ist stärker als zweimal Rot. Es bleibt Ihnen gar nichts anderes übrig, als lässig und heiter zu werden. Sie können gar nicht anders als kreativ und kontaktfreudig sein. Und wenn Sie streiten wollen, dann werden Sie es spielerisch tun. Als Meister im Wortgefecht. Als Highlight von Talkshows. Ja, treten Sie doch da mal auf. Wir schalten ein!

BEGRENZUNG
NEID
LIEBE

Rot	Gelb	Weiß	Grün	Orange
1	4	–	–	–

Kennen Sie diesen Klang, den es im Kopf gibt, wenn man heftig gegen die Wand rennt? Sie mögen doch diesen Klang, oder? Jedenfalls hören Sie ihn häufig. Und wie finden Sie es, wenn Sie mit voller Wucht gegen eine verschlossene Tür knallen? Fördert die Durchblutung, nicht? Sie knallen richtig gern gegen verschlossene Türen, was? Eines ist sicher, wenn Sie vier gelbe Bärchen gezogen haben: Sie sind der Meister der Beulen und Blessuren. Weil Sie dauernd gegen Grenzen laufen. Häufig ist es, als seien Sie eingesperrt. Sie sehen aus dem Fenster, und da laufen die Leute in unverschämter Freiheit herum. Warum zieht das Leben draußen vorbei? Weil Sie sich selbst matt setzen. Weil Sie Ihre eigenen Zellenwände errichten. Ihre eigenen Grenzen. Glaube an eine Grenze, und sie ist dein, sprach der weise Buddha. Sie verstehen: Die Begrenzungen sind in Ihrem Kopf. Die Gitter sind in Ihrem Denken. Aber, das rote Bärchen zeigt es, Sie sind drauf und dran, Ihre Begrenzungen zu überwinden. Zum Beispiel diese: Sie sind neidisch, sogar mißgünstig. Wollen Sie nicht sein? Warum denn nicht? Ist doch prima! Hinter Neid und Mißgunst steckt der Wunsch, es besser zu haben. Der Wunsch zu wachsen. Gut! Sie sind zuweilen starrsinnig. Verbohrt. Intolerant. Auch großartig! Denn das zeigt nur, daß Sie hohe Ideale haben. Unser Tip: Lassen Sie die mal beiseite. Hohe Ideale sind Wände. Wände, die Sie einschließen und andere ausschließen. Es gibt nur ein Ziel, das sich lohnt: Daß Sie Ihre Anlagen und Fähigkeiten entfalten. Wie denn? Na, das rote Bärchen zeigt es: indem Sie liebevoll sind. Zu wem? Na, zu

Ihnen selbst! Seien Sie gütig, tolerant, sanft mit sich selbst. Streicheln Sie sich! Dann werden Sie auch von anderen gestreichelt. Wir streicheln schon mal von fern. Merken Sie es? Da sehen Sie, wie durchlässig die Grenzen sind.

SELBSTWERTGEFÜHL
INNERER REICHTUM
GLANZ

Rot	Gelb	Weiß	Grün	Orange
1	3	1	–	–

Schon mal von Akio Morita gehört? Der vom kleinen Radiobastler zum Sony-Gründer und Millionär wurde? Sie haben die Farbkombination seines Wahrzeichens gezogen. Jawohl, eine Millionärskombination! Nun hören Sie sich mal an, was er sagt. Er sagt: »Stellen Sie hohe Rechnungen. Respektiert wird nur der, der für seine Leistung auch etwas verlangt. Wenn Sie Ihre Arbeit billig weggeben, werden die Leute Sie mißachten und Fehler bei Ihnen suchen.« Was soll das heißen? Ganz einfach. Gehaltserhöhungen zu verlangen oder gesalzene Preise zu fordern, ist Ihnen bislang schwergefallen. Sie waren geneigt zu denken: Die Leute mögen mich nicht, wenn ich eine hohe Rechnung präsentiere. Doch das Gegenteil ist der Fall. Mit der Höhe Ihrer Rechnung wächst Ihr Ansehen. Motto: Die weiß, was sie wert ist. Oder der. Sie nämlich. Und Sie kapieren jetzt langsam, was Sie wert sind. Wieviel Reichtum in Ihnen steckt. Wieviel Talent. Und daß Sie nicht zu kleckern brauchen. Sie können klotzen. Sie gelangen jetzt auf eine Stufe des Selbstwertgefühls, die andere nie erklimmen. Und auf dieser Stufe wird sich Ihr innerer Reichtum auch außen zeigen. In so äußerlichen Dingen wie Kontoauszügen. Oder in Ihrem Gang. Oder in Ihrer Art zu wohnen. In Ihrer Art zu reden, sich zu geben, in Ihrer Persönlichkeit. Sie haben das rote Bärchen der Leidenschaft gezogen, das Sie sanft und stark antreibt wie ein Propeller in Ihrem Rücken. Das weiße Bärchen der Intuition, das Ihnen das Vertrauen auf Ihre innere Stimme einflößt. Damit Sie wissen, wo Sie hinfliegen können und wo sich eine Zwischenlandung lohnt. Und die drei gelben Bärchen des Glanzes, der Ihre Tätigkeit umgibt. Sie können voll loslegen. Sie packen es an.

WOHLSTAND
SELBSTBEWUSSTSEIN
KRAFT

Rot	Gelb	Weiß	Grün	Orange
1	3	–	1	–

Eine verheißungsvolle, eine verlockende, eine erfolgversprechende Kombination! Sind Sie auch sicher, daß Sie die gezogen haben? Na gut. Hier ist die Bedeutung: Sie werden immer soviel Geld haben, wie Sie benötigen! Und vermutlich noch mehr!

Nämlich exakt soviel, wie Sie brauchen, um glücklich zu sein. Sagen Sie mal, haben Sie das eigentlich verdient? Ja, haben Sie. Denn diese Kombination mit dem Rot der Liebe und der Leidenschaft, mit dem Grün der Geordnetheit und des Selbstvertrauens und mit dem dreimal Gelb des sicheren Aufstiegs, die bedeutet: Sie haben etwas Entscheidendes auf Ihrem Lebensweg gelernt. Was denn wohl? Sie haben gelernt, sich von Niederlagen nicht ausknocken zu lassen, sondern sie als Seminare zu sehen. Sie haben begriffen: Solange Sie sich weiterentwickeln, können Sie sich bestens damit abfinden, daß Sie noch nicht alles erreicht haben. Es soll ja noch was vor Ihnen liegen, worauf Sie sich freuen können. Sie haben kapiert: Jeder Rückschlag ist nichts anderes als ein Intensiv-Kurs. Ist dazu da,

Sie zu Ihren eigentlichen Werten zu führen, zu Ihren Talenten, Ihrem unerschütterlichen Selbstbewußtsein. Denn das haben Sie, tief drinnen, ein bißchen von Staub bedeckt, aber dieser Staub wird jetzt weggepustet. So daß alle Ihr Leuchten sehen. Sogar Sie selbst. Das merken Sie daran, daß immer mehr positiv gestimmte Leute sich Ihnen anschließen - und Sie sich denen. Daß die Pechvögel und Runterzieher respektvoll Abstand halten – und Sie zu denen. Weil Sie einfach tun, was Ihnen Kraft bringt, und sich mit Leuten umgeben, die Sie aufbauen. Sie haben eine phantastische optimistische Kraft, mit der Sie so ziemlich alles erreichen können, was Sie glücklich macht. Sie können dankbar sein. Wem? Na, grübeln Sie mal nach!

LEIDENSCHAFT
KREATIVITÄT
GLANZ

Rot	Gelb	Weiß	Grün	Orange
1	3	–	–	1

Es sieht gut aus. Gut für Ihre Talente. Für das, was Sie vorhaben. Für Ihr Konto. Sie haben die beneidenswerte Farbkombination gezogen, mit der Calvin Klein sein Arbeitszimmer ausgestattet hat. Wissen Sie doch: Amerikas erfolgreichster Designer. Orange für Kreativität, Rot für Leidenschaft und dreimal Gelb für Aufwärtsentwicklung. Für den Glanz, der Sie dann umgibt, wenn Sie das tun, was Sie immer schon vorhatten. Sie haben Abschied genommen vom Armutsbewußtsein. Es hat Zeiten gegeben, da dachten Sie: Das kann ich nicht. Dafür bin ich nicht talentiert genug. Und das, was ich mir wünsche, das kann ich mir nicht leisten. Diese Zeiten sind vorüber. Dreimal Gelb heißt: Sie lernen, sich selber wertzuschätzen. Sie ersticken nicht mehr Ihr eigenes Feuer. Sie lassen es strahlen. Sie denken auch nicht mehr: Ich bin bloß dies und das, ich kann nicht in Nobelklamotten herumlaufen. Können Sie, dürfen Sie, sollen Sie! Wenn das nun mal Ihre Wünsche sind! Wunscherfüllung bringt Sie weiter! Wer sagt: Das kann ich mir nicht leisten, denkt insgeheim: Das bin ich mir nicht wert. Aber Sie sind der wichtigste Mensch in Ihrem Leben. Und wenn Sie sich nichts wert sind, dann halten andere Sie auch nicht für wertvoll. Und genau das haben Sie geschnallt. Sie sind sich endlich etwas wert. Und Ihre Umgebung spürt das. Die Leute ahnen Ihren inneren Reichtum, an den Sie selbst lange nicht geglaubt haben. Und der sich Ihnen jetzt öffnet, als hätten Sie erst jetzt das Schlüsselwort für Ihre Schatzkammer gefunden. Mit Ihrer Kombination aus Leidenschaft, Kreativität und Glanz können Sie sich eine Menge leisten. In jeder Beziehung. Wir sind gespannt.

BLENDUNG
TÄUSCHUNG
LIEBE

Rot	Gelb	Weiß	Grün	Orange
1	**2**	**2**	–	–

Sie erinnern sich wahrscheinlich an das Märchen von des Kaisers neuen Kleidern. Ein paar Gaukler reden dem Kaiser ein, sie hätten wunderschöne Kleider mitgebracht. Doch sie zeigen ihm nur Luft. Die beiden schildern die vermeintlichen Kleider allerdings so überzeugend, daß der unsichere König, der ja überhaupt nichts sieht, keinen Widerspruch wagt. Er hält es sogar für angebracht, die Kleider zu bewundern, und seine Bediensteten schließen sich begeistert an. Endlich läßt er sich von den Gauklern ankleiden, natürlich mit Nichts, und paradiert so vor seinem Volk – auf einem Wagen, der in Weiß und Gold ausgeschlagen ist. In genau den Farben, die Sie jetzt gezogen haben. Was also sind Sie: Gaukler oder eitler Kaiser? Täuscher oder selbst Getäuschter? Sie ahnen schon: Sie sind beides. Sie können täuschen, sehr gut sogar. Aber Sie täuschen mit Vorliebe sich selbst. Dagegen ist nichts zu sagen. Wir alle gaukeln uns gern etwas vor. Nur daß bei Ihnen die bekömmliche Dosis zuweilen überschritten wird. Dann bringen Sie es fertig, Ihre Illusionen für die Wirklichkeit zu halten. Ihr Geflunker für die Wahrheit. Und mehr noch: Sie versuchen, auch andere davon zu überzeugen. Uns macht nämlich stutzig, daß Sie ein rotes Bärchen gezogen haben. Rot wie Lebensenergie. Rot wie Liebe. Das ist natürlich gut. Sehr gut. Aber wie werden Sie mit der Liebe umgehen? Bisher haben Sie auch da manches vorgetäuscht. Nur haben Sie schon gemerkt: Täuschen, bluffen, blenden macht einsam. Wer anderen was vormacht, hat am Ende das Gefühl, völlig unverstanden zu sein. Zu Recht. Weil er sich selbst ja nie gezeigt hat. Doch das ändert sich gerade bei Ihnen. Das rote Bärchen zeigt es an. Sie lassen sich von der verwandelnden Kraft der Liebe zur Wahrheit führen. Und von Ihren Täuschungsmanövern bleiben dann allenfalls ein paar reizende Komplimente. Worauf wir schon sehnsüchtig warten.

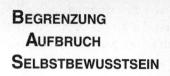

BEGRENZUNG
AUFBRUCH
SELBSTBEWUSSTSEIN

Rot	Gelb	Weiß	Grün	Orange
1	2	1	1	–

Die Schublade ist leer. Zwischen den Seiten Ihres Lieblingskrimis klebt ein Kaugummi, aber kein Schein. Die Blechdose spiegelt nur Ihr Gesicht. Der Boden ist blank. Genau wie Sie. Schon mal vorgekommen? Allerdings. Zweimal Gelb: Das bedeutet eine Blockade. In Sachen Geld, Arbeit, Wunscherfüllung. Eine Blockade durch begrenztes Denken. Wenn Sie das spüren, zum Beispiel weil Sie pleite sind, dann ist das ein Riesenglück. Ohne Pleite wäre er nichts geworden, schreibt Jean Paul Getty in seinen Memoiren. Das Gefühl, kein Geld zu besitzen, habe ihn so geärgert und gequält, daß er seinen ganzen Einfallsreichtum mobilisierte. Und dann ging's auf einmal. Was wurde aus ihm? Ein Multi-Milliardär. Das müssen Sie nicht unbedingt werden. Aber Sie wollen sich frei fühlen. Sie wollen, daß die Energie fließt. Geld ist nur ein Ausdruck dieser Energie. Und die drei anderen Bärchen zeigen, Sie haben die besten Voraussetzungen dafür. Rot heißt: Sie haben die Antriebskraft. Sie sind bereit, selbst was zu tun. Nicht auf die Gnade anderer oder des Schicksals zu warten. Grün: Sie sind bereit aufzuräumen. Die unsortierten Papiere zu ordnen. Die vollgestopften Schubladen auszumisten. Die aufgeschobenen Angelegenheiten zu erledigen. Diese Rot-Grün-Kombination bringt die Energie in Fluß. Aber Sie haben auch noch Weiß gezogen. Und das heißt: Sie werden sich über Ihre Wünsche klar. Sie verabschieden die Wünsche, die Ihnen andere eingeredet haben. Und erfüllen sich Ihre ureigenen. Wer sagt: Das kann ich mir nicht leisten, denkt insgeheim: Das bin ich mir nicht wert. Sie haben Ihren Wert lange heruntergespielt. Das ist vorbei. Sie fangen gerade mal an, Ihren Wert zu ahnen.

Rot	Gelb	Weiß	Grün	Orange
1	2	1	–	1

Alle Schotten dicht? Brustpanzer angelegt? Visier runtergeklappt? Ja? Haben Sie? Ja, Sie haben sich ganz schön eingebunkert. Es ist, als seien Sie in eine alte Rüstung gestiegen. Die gibt Ihnen zwar ein Gefühl der Sicherheit. Aber vor allem lähmt sie Ihre Bewegungsmöglichkeiten. Zweimal Gelb, das heißt nämlich: Hier hat jemand eine Blockade. Eine selbstgeschaffene. Hier hat sich jemand Grenzen auferlegt. Und das sind Sie. Sie leben nur einen kleine Ausschnitt Ihrer Möglichkeiten. Und ein weißes Bärchen heißt: Dieser Einschränkung werden Sie sich gerade erst bewußt. Häufig zeigt sich so eine Blockade beim Umgang mit Geld. Sind Sie geizig? Na? Oder vielleicht auf unberechenbare Art sparsam? Und dann wieder heillos verschwenderisch? Ja, das sind Sie. Weil Sie nicht im Fluß der Energie sind. Aber das ändert sich jetzt. Das rote Bärchen heißt: Sie wollen aufbrechen. Und Weiß bedeutet: Ihre Intuition sagt Ihnen auch schon, wie und wohin. Sie ahnten es immer, jetzt aber wird es Ihnen sonnenklar: Alles, was Ihre Energie und Ihre Kreativität steigert, ob eine Person, ein Job, ein Aufenthaltsort, das ist gut für Sie und läßt Geld und Freude zu Ihnen fließen. Daran erkennen Sie, wo Sie richtig sind, wo Sie hinwollen und mit wem. Orange schließlich heißt: Ihre Kreativität kommt in Fluß, und Sie werden sie ausschöpfen. Und da so ein Fluß unerschöpflich ist, können Sie das unbegrenzt machen. Sie werden das tun, was Ihnen Freude bereitet. Und merken, wie Ihnen dabei Kraft zuwächst. Und wie sich Ihr Konto bläht. Was Sie mit der alten Rüstung machen sollen? Ab und zu mal wieder reinschlüpfen, um zu spüren, in welcher Enge Sie sich mal wohlfühlten.

TATENLOSIGKEIT
EHRGEIZ
AUFBRUCH

Rot	Gelb	Weiß	Grün	Orange
1	2	–	2	–

Sie wollen sich verändern. Sie wollen raus. Aus einer Wohnung. Oder aus einer Beziehung. Raus aus einer Stadt. Oder einem Job. Das ist schon lange so. Aber Sie haben es bisher nicht gepackt. Warum nicht?

Nehmen wir das Beispiel Job. Sie wollen was anderes tun. Sie haben auch schon Anzeigen gelesen, Angebote gecheckt, spielen auch schon in Ihrer Phantasie durch, wie das wäre, wenn sie woanders sein würden. Tun aber nichts. Das geht seit Monaten so, vielleicht gar seit Jahren. Warum bewerben Sie sich nicht, warum hauen Sie nicht andere Leute an? Ach, sagen Sie, ich habe das Gefühl, jetzt ist noch nicht der richtige Zeitpunkt. Vorsicht! Es gibt Leute, die verbringen so ihr Leben. All die Leute, die nie ihre Träume verwirklichen, weil sie nicht wagen, den ersten Schritt zu tun. Weil sie immer denken, der Zeitpunkt sei noch nicht reif. Ihre Bärchen-Kombination ist eine Warnung davor: Zweimal Grün steht für Tatenlosigkeit und Stagnation. Zweimal Gelb für einen Ehrgeiz, der nicht fruchtbar wird, sondern sich in Neid und Starrsinn wandelt. Allerdings: Das wird bei Ihnen nicht so sein. Weil Sie einfach zu vital sind. Das rote Bärchen zeigt es. Da rumort eine Leidenschaft in Ihnen, die macht Dampf. Die setzt der Stagnation ein Ende. Jetzt. Denn jetzt haben Sie diese Kombination gezogen. Ein rotes Bärchen bedeutet einen energischen Anschub. Bedeutet: Sie werden etwas wagen. Was riskieren. Werden ins Unbekannte gehen. Sie haben Lust, sich zu erproben. Und jetzt ist die Zeit, dieser Lust nachzugehen. Sie haben eine Menge zu gewinnen. Und nichts zu verlieren als Ihre alte Haut. Merken Sie, wie Sie beginnen, sie abzustreifen? Und wie frisch Sie darunter aussehen? Wir sehen den Glanz sogar von weitem.

GIER
LEICHTSINN
AUFBRUCH

Rot	Gelb	Weiß	Grün	Orange
1	2	–	–	2

Eine Wahrsagerin alten Stils würde Ihnen aus dieser Kombination eine Erbschaft voraussagen. Wir nicht. Wir sagen Ihnen höchstens, daß Ihr Wunsch nach Geld und Glanz groß ist (zweimal Gelb), und daß Sie der Ansicht sind, beides müßte auf leichte Weise zu Ihnen kommen (zweimal Orange). Erben wäre da zwar passend. Aber haben Sie überhaupt einen Erbonkel? Oder eine Tante mit Klunkern? Und was würden Sie mit denen machen? Das rote Bärchen spricht für ein gewisse Aktivität. Aber zwei gelbe und zwei orangene weisen eher auf eine unfreundliche Aktivität. Wenn es im Winter einen großen Eisregen gibt, dann könnte Ihnen einfallen, daß Ihr klappriger Erbonkel viel zu selten spazierengeht. Und prompt rufen Sie ihn an und ermutigen ihn zum Ausgehen. Ja, ja, tun Sie nicht so unschuldig! Oder Sie bringen Ihrer greisen Erbtante zum Geburtstag eine Kerze mit und stellen die neben ihr Bett. Und am nächsten Tag rufen Sie an und wundern sich, daß die alte Dame noch quietschfidel ist.

Na? So ein ganz klein bißchen boshaft sind Sie doch! Man zieht nicht umsonst diese Kombination! Aber im Ernst: Diese Bärchen weisen darauf hin, daß Sie erstens eine leicht spekulative Neigung haben. Das ist die Kehrseite Ihrer spielerischen Veranlagung (zweimal Orange). Und daß Sie zweitens gern Scheuklappen tragen und gierig in eine Richtung starren. Das ist die Kehrseite Ihres Ehrgeizes (zweimal Gelb). Aber das rote Bärchen ist ein Signal dafür, daß bei Ihnen was in Bewegung kommt. Daß Sie Ernst machen mit dem Umsetzen Ihrer Begabungen. Denn die haben Sie bei weitem nicht ausgeschöpft. Und die sind Ihr eigentliches Erbe. Womit Sie eine Menge erreichen können. Sogar mehr als wir. Vielleicht haben Sie Lust, unser Erbonkel zu werden? Oder unsere großzügige Tante?

EINSCHRÄNKUNG
MUT
FREUDE

Rot	Gelb	Weiß	Grün	Orange
1	2	–	1	1

Kann es sein, daß Sie manchmal schwarzsehen? Daß Sie glauben, Sie seien arm dran? Daß Sie Pechsträhnen haben? Sie haben nämlich zwei gelbe Bärchen gezogen. Und zweimal Gelb, das bedeutet begrenztes Denken. Einschränkung der eigenen Möglichkeit. Bedeutet, daß Sie sich selbst Fesseln anlegen. Daß Sie zu häufig Dinge tun oder mit Personen zusammen sind, die Ihre Kreativität blockieren, die Ihre Energie absaugen oder lähmen. Häufig geht das mit Geldmangel einher, der nur Ausdruck Ihrer eigenen Wertschätzung ist. Die ist nämlich mangelhaft. Nein! War mangelhaft! Jetzt haben Sie ein paar

Bärchen gezogen, die leuchtende Symbole des Wandels sind. Ein rotes: Sie kriegen einen Energiekick. Bekommen die Power, etwas grundlegend zu ändern. Sie werden das tun, was Ihnen Kraft bringt, werden zu den Leuten gehen, die Sie aufbauen, nicht zu denen, die Sie runterziehen. Ein grünes: Ihr Selbstvertrauen wächst. Weil Sie entdecken, was Sie besser können als andere. Weil Sie Ihre Arbeit nicht mehr billig weggeben. Sondern weil Sie für Ihre Leistung etwas verlangen. Wofür man Sie respektiert. Ein orangenes: Sie erkennen, daß die Freude Ihr Richtungweiser ist. Freude ist eine Form der Energie. Geld ebenfalls. Und Energie zieht Energie an. Also erfüllen Sie sich Ihre Wünsche. Geld ist keine lästige Notwendigkeit, sondern ein Freund. Nur wer von Geld gut denkt, kann damit glücklich sein, sprach Experte Walt Disney. Wer Geld für etwas Verwerfliches hält, wird es verlieren. Wenn

Sie Geld ausgeben, denken Sie also: Mein liebes Geld, ich gebe dich frei. Aber du weißt, du bist immer herzlich willkommen. Und natürlich kannst du alle deine Freunde mitbringen. – Die kommen glatt! Und wir auch.

HELLSICHT
INTUITION
UNTERSTÜTZUNG

Rot	Gelb	Weiß	Grün	Orange
1	1	3	–	–

Leute, die diese Kombination ziehen, sind mit einer gewissen Hellsichtigkeit begabt. Die nehmen mehr wahr als andere. Nicht, daß Sie sich jetzt gleich als Wahrsagerin oder Hellseher niederlassen können. Aber Sie werden in nächster Zeit merken, wie sich Ihre Intuition verfeinert. Sie wissen, was jemand sagen wird, bevor er redet. Wer dran ist, wenn das Telefon klingelt. Tagsüber können Sie sich auf Ihre innere Stimme verlassen, nachts auf Ihre Bilder. Sie träumen von jemandem, den Sie lange nicht gesehen haben; am nächsten Tag treffen Sie ihn. Von einem Ring, den Sie verloren haben; am nächsten Tag wissen Sie, wo er ist. Träumen intensiv

von einem unbekannten Gesicht und begegnen diesem Menschen ein paar Wochen später. Vielleicht ist Ihnen das ein bißchen unheimlich. Aber nur, solange Sie noch nicht daran gewöhnt sind. Legen Sie einfach mal Papier und Bleistift neben das Bett und nehmen sich beim Einschlafen vor, von der verlegten Uhr zu träumen. Vom zukünftigen Lover. Von der Lösung des Büro-Problems. Nach dem Aufwachen alles aufschreiben, möglichst mit halbgeschlossen Augen. Anfangs sind die Bilder noch kraus. Bald träumen Sie glasklar die Antwort auf jede Frage. Und sehen im gleichen Maß auch tagsüber immer klarer. Was das soll? Das soll heißen, daß Sie einen Kanal haben zu einem Wissen, das sich weder in einer Werkstatt noch an einer Uni erwerben läßt. Ein Wissen, das viele sich wünschen und wenige bekommen. Das gelbe Bärchen weist Sie darauf hin, daß Sie mit diesem Wissen arbeiten sollen. Und das rote, daß Sie Ihre Intuition nicht nur für sich nutzen sollen –

dann versiegt sie nämlich. Sondern auch zum Nutzen anderer. Klingt fromm, ist aber in Wirklichkeit spannend und übrigens auch lustig. Nur die Voraussage der Lottozahlen, die klappt nicht. Falls doch: Rufen Sie uns an.

ILLUSION
EHRGEIZ
SELBSTVERTRAUEN

Rot	Gelb	Weiß	Grün	Orange
1	1	2	1	–

Der Regisseur Woody Allen nahm sich einst ganz fest vor, allen Schwierigkeiten aus dem Weg zu gehen und nur noch Zeitungsartikel zu schreiben statt Filme zu drehen. Indes, der stolze Entschluß war bald vergessen, zwei Monate später nämlich, als den Meister ein lockender Auftrag aus Hollywood erreichte. Seinem gebroche-

nen Vorsatz verdanken wir phantastische Komödien. Der junge Thomas Alva Edison gelobte nach einer Explosion auf seinem Zimmer, keine Experimente mehr durchzuführen, sondern den Beruf des Bäckers zu erlernen. Ein halbes Jahr lang hielt er sich daran. Dann bastelte er aufs neue. Seinem gebrochenen Gelübde verdanken wir die Glühbirne. Was das mit Ihnen zu tun hat? Nun, Sie sind ehrgeizig (gelb), Sie sind tatkräftig (rot), aber Sie neigen dazu, fremden Vorstellungen zu folgen (zweimal weiß). Sie nehmen sich immer wieder etwas vor, was Ihren eigentlichen Anlagen gar nicht entspricht. Dann rackern Sie sich ab, und stau-

nen, wenn nicht viel dabei herauskommt. Kurz: Sie neigen dazu, Ihre Stärken zu unterschätzen. Und statt dessen Ihre Schwächen zu kultivieren. Schluß damit. Sie haben zur dynamischen Zaster-Kombination (rot-gelb) auch noch das grüne Bärchen des Selbstvertrauens gezogen. Und das heißt: Sie werden Ihre Stärken nicht länger verstecken. Sie werden nicht langweilige Artikel schreiben, wenn Sie ein Meister der Komödie sind. Und werden nicht Brötchen backen, wenn Sie in Wahrheit ein Erfinder sind. Sie werden sich das zutrauen, wozu

Sie tatsächlich begabt sind. Und das ist das, wozu Sie schon immer Lust hatten, was Sie aber nicht zu tun wagten. Sie kommen zu sich selbst. Und wenn Ihnen das Spaß macht und Sie Grund zum Feiern sehen, dann kommen auch wir gern zu Ihnen.

WUNSCHDENKEN
KREATIVITÄT
KLÄRUNG

Rot	Gelb	Weiß	Grün	Orange
1	1	2	–	1

Sie haben das rote Bärchen der Aktivität und der Liebe, das orangene der Heiterkeit und Kreativität, sogar noch das gelbe des Erfolges. Das ist gut, sehr gut. Und dennoch kann Ihnen etwas dazwischenfahren. Und zwar Ihr eigenes Wunschdenken. Nichts anderes signalisieren die beiden weißen Bärchen. Eigentlich haben Sie es ja schon geahnt, aber wir sagen es sicherheitshalber noch mal: Nicht, was Sie sich wünschen, trifft ein, sondern das, was Sie im Innersten glauben. Wenn Sie von sich glauben, daß Sie es nicht verdienen, achttausend Taler im Monat zu bekommen, können Sie sich eine Gehaltserhöhung noch sosehr wünschen, Sie kriegen sie nicht. Wenn Sie glauben, Sie seien nicht würdig, in einer schönen Umgebung zu wohnen, werden Sie das auch nie schaffen, selbst wenn Sie täglich vor dem Einschlafen darum bitten. Wenn Sie glauben, Sie können nicht beruflich erfolgreich und zugleich privat glücklich sein, haben Sie den Mißerfolg oder die Trennung bereits in der Tasche. Was Sie sich wünschen, wissen Sie ja noch einigermaßen. Aber was Sie im Innersten glauben, ist Ihnen kaum bewußt. Sie glauben vielleicht, daß Sie nicht völlig vertrauenswürdig sind, daß Sie keine Verantwortung tragen können, daß Sie nicht begehrenswert sind und so weiter. Sie tragen ein paar entmutigende Glaubenssätze mit sich herum, die wie die Programme auf einer Festplatte immer aufs neue abgespult werden, sobald Sie in eine kritische Situation kommen. Das ist schade. Denn Ihre Begabungen liegen auf der Hand. Doch nur, was Sie über sich glauben, verwirklichen Sie auch. Und was Sie über sich glauben, spiegelt sich in dem, was Ihnen immer wieder passiert, in Ihren Sackgassen, in Ihren

Krisen, in Ihren Beziehungen. Machen Sie sich Ihre abwerten-
den Glaubenssätze bewußt und löschen Sie sie von der Festplatte. Sie brauchen sie nicht mehr. Das ist die Botschaft Ihrer
Bärchen.

NACHGIEBIGKEIT
MUT
DEUTLICHKEIT

Rot	Gelb	Weiß	Grün	Orange
1	1	1	2	–

Zweimal Grün – das ist eine Schwäche, die nicht schlimm ist, aber die Ihnen langsam lästig wird. Sie kennen doch mindestens einen Freund, wenn der anruft, wissen Sie: Der will was. Daß man ihn zum Flughafen fährt. Daß man seine Schrottkarre kauft. Daß man ihm Freunde vermittelt, die seine Karriere fördern. Er will die Ski-Ausrüstung leihen. Oder gleich Geld. Und Sie, mit Ihren zwei grünen Bärchen, Sie wissen nicht genau, wie Sie ablehnen sollen. Oder da ist diese Freundin, die hat keinen, mit dem sie ausgehen kann, die will immer mit Ihnen mitkommen auf die Parties. Die will sich anhängen. Am besten auch noch bei der Reise, die Sie planen. Und Sie geben sich größte Mühe, verschrobene Ausreden zu erfinden, angeblich, weil Sie sie nicht vor den Kopf stoßen wollen. In Wirklichkeit, weil Sie ein ganz kleines winziges bißchen feige sind. Denn dieser Freundin ist mehr damit geholfen, wenn Sie klar und ehrlich sind. Aber Sie haben nicht gelernt, deutlich zu sein und Ihre Grenzen zu zeigen. Doch das ist Vergangenheit. Denn Sie haben eine wunderbare Kombination gezogen, mit der Sie diese ärgerliche Schwäche zurücklassen werden. Rot bedeutet: Sie kriegen einen kräftigen Kick Mut und Zivilcourage. Sie entdecken Ihre Stärke und können es auch akzeptieren, wenn Sie abgelehnt werden. Gelb heißt: Sie sind in der Lage, klare Entscheidungen zu fällen. Und zu diesen Entscheidungen zu stehen. Grenzen zu setzen, wo Sie Grenzen brauchen. Weiß schließlich heißt: Sie werden sich bei alledem auf Ihre Intuition verlassen können. Ihre innere Stimme war noch nie so deutlich zu vernehmen. Wollen Sie unser altes Auto kaufen?

97

VIELSEITIGKEIT
TALENT
GLÜCK

Rot	Gelb	Weiß	Grün	Orange
1	1	1	1	1

Na? Haben Sie auch nicht geschummelt? Sie haben die unwahrscheinlichste Kombination gezogen: exakt ein Bärchen von jeder Farbe. Entweder also Sie sind ein Schlitzohr – oder ein Genie. Sie entscheiden sich für Genie? Na gut, dann müssen wir Sie ein bißchen bremsen. Sie haben die Anlagen dazu. Voll entwickelt haben Sie die noch nicht. Aber Ihre Talente und Begabungen ergänzen sich auf wunderbare Weise. Sie verfügen über einen klaren Geist und gute Intuition (weiß), dazu über Festigkeit und gesundes Selbstvertrauen (grün). Sie sind kontaktbegabt und schöpfe-

risch (orange), dazu zielstrebig und geschäftstüchtig (gelb). Schließlich haben Sie auch noch die Liebe und die Energie, all das zu Ihrem und zu anderer Nutzen anzuwenden (rot). Erstaunt Sie das ein bißchen? Also, uns erstaunt es. Und uns ärgert an dieser Kombination auch etwas: daß wir Ihnen daraus gar nichts Boshaftes lesen können. Wir würden Ihnen gern ein bißchen am Zeug flicken. Aber Sie haben nur mal diese seltene Verbindung von Talenten, und Sie fangen jetzt an, die zum Blühen zu bringen, um alsbald die Früchte zu ernten – und hoffentlich zu verteilen. Im Grunde können wir uns nur hochachtungsvoll verbeugen und Beifall klatschen. Und ehrlicherweise müssen wir auch noch gestehen, daß Albert Einstein ebenfalls diese Kombination gezogen hat. In seiner Villa in Princeton werden in einer Vitrine seine persönlichen Glücksbringer gezeigt, darunter – schon etwas eingetrocknet – die gleichen fünf Gummibärchen, die Sie jetzt gezogen haben. Aber Ihre Bärchen brauchen Sie nicht auszustellen, die dürfen

Sie auch essen. Die Botschaft geht damit nicht verloren. Und die lautet: Sie sind ungewöhnlich vielseitig und harmonisch begabt, und wenn Sie diese Begabungen anwenden, werden Sie ein lebender Glücksfall. Wenn Sie nicht doch geschummelt haben.

AUSWEICHEN
FESTIGKEIT
FREUDE

Rot	Gelb	Weiß	Grün	Orange
1	1	1	–	2

Wenn an der Côte d'Azur zwei orangene Bälle hochgezogen werden, heißt das: Es wird windig. Sie haben zwei orangene Bärchen gezogen, und das heißt: Sie sind windig. So ein bißchen schlawinerhaft sind Sie. Ein bißchen leichtfertig, saumselig, pflichtvergessen. Aber das eine muß man Ihnen lassen: Auf Ihre Unzuverlässigkeit ist Verlaß. Und das ist doch auch etwas! Doch im Ernst: Sie haben eine Kombination gezogen, die nur Leuten zufällt, die der Verantwortung ausweichen. Die sich fürchten, beim Wort genommen zu werden. Weil sie ihre Worte nicht ernst meinen, sondern lieber ein bißchen schwindeln. Leute, die sich nicht festlegen mögen. Die sich lieber entziehen, weil sie argwöhnen, sie könnten einer ernsthaften Prüfung ohnehin nicht standhalten. Kennen Sie das? Klar, kennen Sie das. Und Sie kennen auch die innere Unruhe, die damit einhergeht. Sie befürchten immer, wenn andere wüßten, wie Sie wirklich sind, dann würden die Sie im Regen stehen lassen. Aber, ganz unter uns gesagt, das ist nicht so. Im Gegenteil. So, wie Sie wirklich sind, sind Sie viel anziehender. Widersprüchlicher, gewiß, aber auch vielfältiger. Weniger glatt, klar, aber bei weitem lebendiger. Nicht ganz so anständig, zugegeben, dafür von ungewöhnlicher Ausstrahlung. Und das rote Bärchen der Energie und des Aufbruchs deutet an, daß Sie bereits auf dem Weg dahin sind. Auf dem Weg zu Ihrer eigenen Wahrheit. Das weiße Bärchen der Intuition zeigt, daß Sie aus Ihrer Zerstreutheit zur Klarheit finden, gerade weil Sie zu Ihren widerstreitenden Gefühlen stehen. Und das gelbe Bärchen der gelingenden Arbeit teilt schon mal mit, daß Sie damit Erfolg haben werden. Erfolg mit sich selbst. Erfol mit der Kehrseite Ihres Wankelmuts: Ihrer Kreativität. Sie können Menschen begeistern. Freude bringen. Für Licht und Heiterkeit sorgen. Wenn Sie nur zu sich stehen. Und dann stehen wir auch zu Ihnen.

SELBSTERKENNTNIS
ENTWICKLUNG
SICHERHEIT

Rot	Gelb	Weiß	Grün	Orange
1	1	–	3	–

Wer diese Kombination zieht, hat nicht nur viel erlebt. Er hat aus seinen Erfahrungen auch eine Menge gelernt. Das traut man Ihnen kaum zu, weil Sie noch so jung sind. Oder sehen Sie nur so jung aus? Sie haben jedenfalls eine Stufe erreicht, die beinahe Weisheit zu

nennen ist. Es hat eine Zeit gegeben, da haben Sie mit dem Schicksal gehadert. Haben anderen Leuten die Schuld gegeben, wenn Ihnen etwas mißlang. Das ist vorbei. Sie haben erkannt: Alles, was Ihnen passiert, ist nur ein äußeres Zeichen Ihres Inneren. Die Menschen, die Ihnen begegnen, sind ein Spiegel für Sie. Und was Sie über andere sagen, sagen Sie im Grunde über sich selbst. Wenn Sie jemanden neidisch finden, ist das ein Zeichen dafür, daß Sie selbst eine gute Portion Neid in sich haben. Wenn Sie jemanden aggressiv nennen, sagen Sie damit etwas über Ihre eigene Aggressivität, die Sie vielleicht nicht ausleben, aber die in Ihnen rumort. Das wissen Sie. Und Sie haben erkannt: Jede äußere Blockade ist nur die Widerspiegelung einer inneren Hemmung – ein Hinweis auf einen seelischen Mangel, auf etwas, das Sie klären und verändern müssen. Und das tun Sie. Sie arbeiten an sich. Sie entwickeln sich. Das zeigt die Kombination aus dem roten Bärchen der Liebe und der Aktivität mit dem gelben Bärchen der Arbeit und des Gelingens. Und dann die drei grünen Bärchen: Die zeigen das Vertrauen an, das Sie in den Gang der Ereignisse haben dürfen. Die große Sicherheit, die in Ihnen ist. Die Festigkeit. Die Güte. Die Ruhe. Sie haben sich bereits weit entwickelt. Und Sie haben einen großartigen Weg vor sich. Wir würden Ihnen ja gern noch etwas Freches sagen und Sie ein bißchen hochnehmen. Aber bei dieser Kombination ist das schwierig. Oder kauen Sie sich gleich eine Plombe heraus, wenn Sie die Bärchen essen? Mal sehen. Denn was immer Sie tun, es ist interessant.

Rot	Gelb	Weiß	Grün	Orange
1	1	–	2	1

Kann es sein, daß Sie sich manchmal ausgenutzt fühlen? Weil sie anderen ungern etwas abschlagen? Weil sie nun mal so gutmütig sind? Sie lassen sich zum Babysitten überreden, obwohl Sie eigentlich was anderes vorhaben. Oder Sie haben einer Freundin erzählt, daß Sie zum Möbelmarkt wollen, und nun fällt dieser Freundin ein, was sie alles von dort braucht. Und Sie bringen ihr das mit, obwohl Ihr Kreuz schon jetzt wehtut. Sie machen es ungern, doch Sie machen es. Sie seufzen, und Sie knirschen mit den Zähnen, aber es ist nun mal so. Zwei grüne Bärchen. Das heißt Nachgiebigkeit. Mangel an Entschlußkraft. Aber damit hat es nun ein Ende. Bislang haben Sie sich ausnutzen lassen, weil Sie damit Konflikten aus dem Wege gehen wollten. Weil Sie hofften, man hielte Sie dann für einen guten Menschen. Weil Sie sich selbst bemitleiden konnten. Weil Sie die Verantwortung auf andere schieben konnten, wenn Sie überlastet waren. Aber das ist vorüber. Das ist aus. Vergangenheit. Denn Sie haben eine wunderbare Kombination gezogen. Rot: Sie kriegen einen kräftigen Kick Mut und Zivilcourage. Sie haben gemerkt, daß Sie durch Selbstverleugnung nicht beliebter werden. Jetzt haben Sie Lust, zu sich zu stehen. Weil dann auch andere zu Ihnen stehen. Gelb: Sie sind in der Lage, klare Entscheidungen zu fällen, Grenzen zu ziehen, wo Sie Grenzen brauchen. Damit man Sie für voll nimmt. Und Orange: Sie werden das alles auch noch auf heitere und charmante Weise tun können. Denn mit jedem Konflikt, den Sie sich zutrauen, wachsen Ihr Selbstvertrauen und Ihre Gelassenheit. Übrigens: Wir brauchen auch was vom Möbelmarkt. Na?

UNAUFRICHTIGKEIT
AUFBRUCH
SELBSTVERTRAUEN

Rot	Gelb	Weiß	Grün	Orange
1	1	–	1	2

Zwei orangene Bärchen? Halten Sie sich fern von Beduinen! Ach, Sie wollen jetzt gar nicht in die Sahara reisen? Gut für Sie. Aber dann sollen Sie trotzdem erfahren, was es bedeutet, wenn ein Beduine einem Kollegen zwei orangene Kreise aufs Zelt malt. Das bedeutet: Hier wohnt ein Schwindler. Einer, der es mit der Wahrheit ziemlich ungenau nimmt. Der einem weismachen will, daß es zwei Sonnen gibt, wenn jeder nur eine sieht (daher die zwei orangenen Kreise). Und Sie mit Ihren zwei orangenen Bärchen, Sie haben auch eine leichte – natürlich nur eine flaumfederleichte – Neigung zum Schummeln. Zum Flunkern. Zum Verdrehen der Wahrheit. Sie meinen, das bringe Ihnen Vorteile. Sie ständen dann besser da. Ist aber nicht so. Denn Sie beschwindeln vor allem sich selbst. Sie stellen sich als jemand anderen dar, als Sie sind. Und das führt dazu, daß Sie sich nie so richtig wohlfühlen in Ihrer Haut. Daß Sie eine gewisse innere Unruhe nie loswerden. Sie befürchten immer, wenn anderen wüßten, wie Sie wirklich sind, dann würden die Sie im Regen stehen lassen. Ist aber nicht so. Nein, so, wie Sie wirklich sind, sind Sie viel interessanter. Widersprüchlicher, gewiß, aber auch vielfältiger. Weniger glatt, klar, aber viel lebendiger. Nicht ganz so anständig, zugegeben, dafür von ungewöhnlicher Ausstrahlung. Und das rote Bärchen der Energie und des Aufbruchs deutet an, daß Sie bereits auf dem Weg dahin sind. Auf dem Weg zu sich. Das grüne Bärchen des Selbstvertrauens zeigt, daß Sie sich selbst zu trauen beginnen, Ihren widerstreitenden Gefühlen, Ihren Eingebungen, Ihrem inneren Reichtum. Und das gelbe Bärchen der gelingenden Arbeit beweist, daß Sie damit Erfolg haben. Erfolg mit sich. Womit sich Ihre innere Unrast langsam legt. Und wir freuen uns schon auf die Kehrseite Ihrer Schwindel-Neigung: nämlich auf Ihren Erfindungsreichtum, Ihre Kreativität. Sie haben ein farbiges Leben vor sich!

ENERGIE
GEWINN
EINFALLSREICHTUM

Rot	Gelb	Weiß	Grün	Orange
1	1	–	–	3

Merkwürdig, aber wahr: Diese Bärchen-Kombination entspricht exakt den Farben des begehrtesten Preises der New Yorker Madison Avenue. Denn mit einem gestreiften Band in den Farben Orange-Rot-Orange-Gelb-Orange werden in den USA jährlich die besten Werber und Kreativen ausgezeichnet. Na, und jetzt Sie. Ist ja auch kein Wunder! Sie sind ja sowieso ein kreatives Köpfchen! Und diese Bärchen bedeuten: Sie können jetzt optimal Werbung machen. Für ein Produkt. Für eine Partei. Für einen Plan. Und natürlich für sich selbst. Sie haben jede Menge originelle Einfälle. Und Sie können diese Einfälle auch darstellen. Sie können sich selbst darstellen. Sie haben nicht einfach nur Ideen (orange), die Sie in Tagträumen und Plaudereien verpuffen lassen. Sondern Sie haben dazu noch

die Energie (rot), diese Ideen gewinnbringend (gelb) einzusetzen. Sie müßten jetzt eine eigene Show anleiern. Einen bizarren Zirkus gründen. In einem Fernsehquiz abräumen. Als Art Director, Texter, Grafiker bare Münze einsammeln. Und sogar wenn Sie kompromißlos Kunst machen, werden Sie nicht brotlos bleiben. Und was ist, wenn Sie sich nach Liebe sehnen? Dann waren Sie noch nie so gut in Sachen Liebeswerbung wie heute. Man lacht über Ihre Scherze. Findet Sie beflügelnd. Sogar mitreißend. Ja, Sie können sich jetzt optimal verkaufen. Und das, ohne irgend jemanden zu täuschen. Es sind nun mal eine Menge Qualitäten in Ihnen. Und die können Sie jetzt locker und unverkrampft zeigen. Ob Ihr

Liebeswerben von Dauer bleibt, ist eine andere Frage. Sie sind jetzt mehr für prasselnde Feuerwerke gut als für beständige Wärme. Aber wir freuen uns auf Ihre Böller und Raketen. Unter uns gesagt: Der eine oder andere nasse Knallfrosch ist allerdings auch darunter.

PASSIVITÄT
VERSCHMELZEN
AUFBRUCH

Rot	Gelb	Weiß	Grün	Orange
1	–	4	–	–

Vier strahlende Fixsterne in der Nähe des Andromeda-Nebels bilden das Sternbild Pegasus. Es ist im Herbst am Himmel zu sehen. Aber es gab einen, der wollte es immer sehen: der russische Kosmonaut Grigorij Berdjajew. Im Jahre 1988 änderte dieser hochdekorier-

te Pilot eigenmächtig den Kurs seiner Raumkapsel. Statt zur Erde zurückzukehren, wandte er sich den vier weißen Sternen des Pegasus zu. Dorthin ließ er sich treiben. Und verschwand auf immer im All. Erst im vergangenen Jahr wurde dieser Fall bekannt. Was hat er mit Ihnen zu tun?

Nun, Sie wären zu dieser kleinen Kursabweichung auch in der Lage. Auch bei Ihnen kommt es vor, daß etwas Sie so sehr fasziniert, daß Sie darüber alles andere vergessen, sogar sich selbst. Dann möchten Sie aufgehen in einer Sache oder in einer Person, dann möchten Sie mit ihr verschmelzen, vielleicht sogar in ihr verschwinden. Viermal Weiß: Es mag Zufall sein, daß Berdjajew diese Sternengruppe wählte. Aber viermal Weiß heißt immer: Wunschbilder verdecken die Wirklichkeit. Illusionen übertönen die Wahrnehmung. Heißt treibenlassen. Heißt sich verlieren im Labyrinth der Träume. In der Unermeßlichkeit des Alls. Aber Sie, Sie Schlaumeier, Sie haben noch ein rotes Bärchen gezogen! Und das heißt: Sie lassen sich nicht länger treiben. Sie handeln! Sie lassen sich nicht länger von anderen bestimmen, von der Gesellschaft, den Eltern, der Meinung der anderen. Sie bestimmen selbst! Die Energie dafür fließt Ihnen zu. Spätestens ab jetzt. Es ist Lebensenergie. Es ist Liebesenergie. Es ist die Energie des Aufbruchs und des Neuanfangs. Sie kriegen so viel davon, daß Sie glatt einen Kosmonauten aus dem All zurück-holen könnten. Aber lassen Sie ihn. Er ist glücklicher dort. Und Sie haben alles und noch mehr, um hier glücklich zu werden.

KLARHEIT
HELLSICHTIGKEIT
KRAFT

Rot	Gelb	Weiß	Grün	Orange
1	–	3	1	–

Drei weiße Bärchen, das spricht für eine ungewöhnliche Klarheit der Empfindungen. Sie nehmen mehr wahr als andere. Spüren Trends früher. Ahnen Dinge, die Sie eigentlich nicht wissen können. Sie haben die Begabung des Hellsehens. Sie kennen das bestimmt: Sie haben an jemanden gedacht, schon klingelt das Telefon – er ist dran. Oder Sie haben eine Idee, und fast im selben Augenblick spricht jemand anderes sie aus. Sie haben eine bestimmte Situation vor Augen, und wenig später ereignet sie sich genauso. Sie gehen die Straße entlang und denken an jemanden, den Sie lange nicht gesehen haben; da biegt er um die Ecke. Das sind kleine Kostproben Ihrer Hellsichtigkeit. Und weil Sie das rote Bärchen der Aktivität gezogen haben und das grüne der Selbstdisziplin, sind Sie berufen, aus dieser Begabung etwas zu machen. Wie? Durch spielerisches Üben. Zum Beispiel so: Sie verlassen den Raum, die anderen konzentrieren sich auf ein Thema und unterhalten sich flüsternd darüber. Sie versuchen von draußen, sich in den Raum hineinzudenken; wenn Sie das Thema erfaßt haben, klopfen Sie, treten ein und nennen es. Weil Sie die Begabung haben, klappt das mit der Zeit immer besser. Oder jemand gibt Ihnen einen Gegenstand, der ihm besonders wichtig ist (einen Ring, einen Stein, eine getrocknete Blume). Mit geschlossenen Augen versuchen Sie, die Energie des Gegenstandes aufzunehmen, bis vor Ihrem inneren Auge Bilder aufsteigen. Sie beschreiben diese Bilder – und der, dem der Gegenstand gehört, wird sich wundern, wieviel Sie von ihm wissen. Sie fühlen geradezu, was ihn bewegt. Mit dieser ungewöhnlichen Fähigkeit können Sie anderen helfen, aber zunächst mal fördern Sie sich selbst. Je öfter Sie Ihrer Intuition folgen statt Ihrem Intellekt, desto klarer wird Ihr Wahrnehmungsvermögen. Desto tiefer geht Ihr Blick. Sie können jedenfalls Ihrer inneren Stimme und Ihrer geistigen Führung vertrauen. Und der Weg wird sich vor Ihnen ebnen.

KLARHEIT
ENERGIE
KREATIVITÄT

Rot	Gelb	Weiß	Grün	Orange
1	–	3	–	1

Schwer zu glauben, aber Sie sind offenbar einigermaßen klar im Kopf. Das sagt jedenfalls die Bärchen-Kombination. Eine Kombination, die eine heitere Weltsicht (orange) nebst liebevoller Energie (rot) mit hohem Bewußtsein (dreimal Weiß) kombiniert. Leute, die solche Bärchen ziehen, sind auf dem besten Wege in die vollkom-

mene geistige Freiheit. Das ist an einem Traum zu erkennen, den Leute wie Sie gelegentlich haben: Da schweben Sie über Ihrem Bett und sehen Ihren Körper von oben. Oder Sie gleiten, fliegen. Wohin Sie wollen. Und fühlen sich wohl dabei. Unter Ihnen phantastische Landschaften. Über

Ihnen ein Himmel aus Gold. Dergleichen Flugträume kommen nur bei Leuten mit Energie und gereinigtem Bewußtsein vor. Im Schlaf löst sich der Geist vom Körper. Das Bewußtsein tritt aus, bleibt mit dem Körper durch einen Energiestrom verbunden, kann sich jedoch frei bewegen.

Das ist bei allen Leuten so, aber nur wenige merken es. Nur wenige haben den Blick von oben auf den unbewegten Körper, oft verbunden mit dem Gefühl vollkommener Freiheit. Zu dieser Elite gehören Sie, spätestens ab jetzt. Was bedeutet das für Ihr Leben? Daß Sie jetzt ziemlich viel Verantwortung haben. Weil Sie mehr wahrnehmen als andere. Weil Sie Probleme klarer sehen. Das heißt: Sie können es sich leisten, ehrlich zu sein, wo andere aus Furcht ausweichen. Sie können es sich leisten, deutlich zu sein, wo andere sich verstellen. Es geht nicht darum, daß Sie anderen Leuten am Zeug flicken. Sondern darum, daß Sie selbst die Geradlinigkeit und liebevolle Sensibilität leben, zu der Sie begabt sind. Das reicht vollkommen. Das ist eine Menge. Damit tun Sie viel für sich und für alle anderen. Hört sich ein bißchen ernsthaft an? Na, auf Ihre Heiterkeit freuen wir uns auch. Ein orangenes Bärchen ist für viele Witze gut. Erzählen Sie doch mal einen.

Rot	Gelb	Weiß	Grün	Orange
1	–	2	2	–

Oh, wie zart! Was für eine empfindsame Seele Sie haben! Und so keusch! So unschuldig! So unbefleckt! Na? Stimmt nicht? Nein, nicht ganz. Aber Sie haben eine sanfte Seele. Doch, doch. Sie sind zartbesaitet. Dünnhäutig. Sonst hätten Sie andere Bärchen gezogen. Weiß und grün sind seit dem späten Mittelalter die Farben der Jungfräulichkeit. Wenn auf alten Gemälden eine unberührte Frau auftritt, dann ist meist eine Lilie nicht weit, mit grünem Stengel, weißer Blüte: dem Symbol der Reinheit. So, aber jetzt Sie. Sie haben diese Kombination doppelt gezogen. Und das heißt: Sie neigen zur Übertreibung. Zur Überempfindlichkeit. Zum Purismus. Sie neigen dazu, anderen mit Ihrer Feinsinnigkeit auf den Keks zu gehen. Weil sich darin zugleich eine gewisse

Passivität verbirgt. Sie glauben, man verletzt Sie. Aber die Wahrheit ist: Sie lassen sich verletzen. Sie glauben, man unterdrückt Sie. Aber das geht nur, weil Sie sich unterdrücken lassen. Sie glauben, man täuscht Sie. Stimmt zuweilen. Aber nur, weil Sie sich täuschen lassen. Die Kehrseite der Jungfräulichkeit ist nämlich die abwartende Haltung. Eine Jungfrau wartet darauf, daß jemand kommt und sie, nun ja, daß er sie verwandelt. Manchmal wartet

sie ein Leben lang. Aber nicht Sie. Sie sind aus anderem Holz geschnitzt. Das rote Bärchen zeigt es: Sie gehen in die Aktivität. Sie fangen an zu handeln. Sie haben gemerkt: Die beste Verteidigung Ihrer empfindsamen Seele ist Tätigkeit. Durch Aktivität können Sie Ihren inneren Reichtum nach außen bringen. Indem

Sie lieben, gewinnen Sie Liebe. Aber das ist fast schon zu feierlich. Also: Raus mit Ihnen aus den Kissen! Runter vom Schnarchsack! Wir wollen Action sehen. Zeigen Sie sich! Okay, sieht schon ganz gut aus! Beifall! Applaus!

Rot	Gelb	Weiß	Grün	Orange
1	–	2	1	1

Nanu, zwei weiße Bärchen in dieser Runde? Das kann nur bedeuten: Sie täuschen sich. Ja, Sie täuschen sich über sich selbst. Wie? Na, zum Beispiel so: Eine Ihrer Freundinnen, durchaus nicht die beste, ruft an und stöhnt, weil sie am Wochenende ihre Wohnung streichen will. Eigentlich hatten Sie sich auf entspannte Tage gefreut. Trotzdem gehen Sie zu dieser Freundin und helfen. Oder da ist

dieser alte Onkel, der allein zu Hause oder im Altenheim sitzt und mißgelaunt über andere herzieht. Er hat nicht mal was zu vererben. Trotzdem rufen Sie ihn regelmäßig an und lassen das Gerede klaglos über sich ergehen. Vielleicht sind es auch Ihre Eltern, die Sie viel öfter besuchen, als Sie Lust haben. Warum nur? Weil Sie glauben, Sie müßten das tun. Weil Sie glauben, Sie schulden den anderen etwas. Aber Sie schulden nur sich selbst etwas: Daß Sie Ihre Anlagen und Fähigkeiten entfalten. Wenn Sie das tun, dann haben auch alle anderen etwas davon. Na ja, und genau das machen Sie jetzt. Sie haben das rote Bärchen gezogen, das Ihnen einen fröhlichen Energie-Kick verspricht – mit einem erotischen Schimmer dabei. Sie haben das grüne Bärchen des Selbstvertrauens gezogen. Was unter anderem heißt: Sie werden sich nicht verstecken und verleugnen. Sie wissen ja: Nur wer sich selbst verleugnet, wird auch belogen, wird unterdrückt. Damit ist Schluß. Denn schließlich haben Sie das orangene Bärchen der spielerischen Heiterkeit und der Kreativität gezogen. Das Bärchen der Neuigkeiten, der Leichtigkeit, der Kontakte. Und all das verspricht eine sprudelnde Erfrischungskur. Ohne daß Sie dafür bezahlen müssen. Sie brauchen lediglich aufzuhören, anderen gefällig zu sein – gegen Ihr eigenes Gefühl. Und Sie werden damit aufhören. Sehr bald sogar. Also rufen Sie uns schnell an! Damit Sie vorher noch unsere Wohnung renovieren können!

OBERFLÄCHLICHKEIT
WÜNSCHE
DURCHSETZUNG

Rot	Gelb	Weiß	Grün	Orange
1	–	2	–	2

Wir kennen Sie. Oh, ja. Von dieser Feier oder Party, na, Sie erinnern sich schon. Da haben wir Sie erlebt. Reizend, ganz reizend. Nur hatten wir den Eindruck, Sie kommen zu Hause nicht genug zu Wort. Kann

das sein? Und hier hatten Sie mal die Gelegenheit dazu. Da sind Sie, unter uns gesagt, ziemlich ausführlich geworden. Sie haben in Erinnerungen herumgestochert, nach Worten gesucht, wollten der Geschichte durch Nennung anderer Leute mehr Bedeutung verleihen, Sie sind aus dem Konzept gekommen und wollten trotzdem weiterreden, weil Sie nun gerade mal dran waren. Das waren Sie doch? Das waren Sie. Das sind Sie. Zwei weiße, zwei orangene Bärchen: Das zeigt die Schwierigkeit an, Ordnung in die Gedanken zu kriegen, und zugleich das Bedürfnis, wichtig

zu sein. Ist ja verständlich! Geht uns ganz ähnlich! Aber Sie wollen Ihre Wichtigkeit auch noch durch Leiden beweisen. Sie erzählen ausgiebig, was ihnen heute wieder dazwischengekommen ist, was sie sonst noch erdulden müssen, wie dumm oder rücksichtslos andere sind, und was Sie ausbügeln müssen, weil andere es vergeigt haben. Und ehrlich gesagt, sich über irgend jemanden zu beschweren, das haben Sie nicht nötig. Dazu haben Sie viel zuviel Substanz, viel zuviel Charakter. Außerdem, das rote Bärchen zeigt es an, haben Sie das richtige Maß an Energie und Durchsetzungskraft. Gerade jetzt kommt etwas in Bewegung bei Ihnen. Sie werden aktiv. Ohne viele Worte darüber zu verlieren. Sie verwenden weniger Zeit und Kraft darauf, andere zu beeindrucken. Weil Sie geschnallt haben, daß es darauf nicht ankommt. Weil Sie allmählich lieber das tun, was Sie selbst wirklich wollen. Und wenn Sie auf irgendeiner Party mal nicht zu Wort kommen, weil vielleicht wir gerade herumlabern, ist das kein Beinbruch. Sie haben eine gute Ausstrahlung noch im Schweigen.

ERKENNTNIS
KLARHEIT
ENTWICKLUNG

Rot	Gelb	Weiß	Grün	Orange
1	–	1	3	–

So jung, und schon so klug? Diese Kombination bekommen nur Menschen, die nicht nur eine Menge erlebt haben, sondern die aus ihren Erfahrungen klug geworden sind. Menschen, die ihr Schicksal selbst gestalten. Die gemerkt haben, daß es keinen Zufall gibt. Und Sie haben das gemerkt. Daß Sie heute hier sind, ist kein Zufall. Daß Sie mit gewissen Menschen zusammengetroffen sind, ist kein Zufall. Daß Sie diese Kombination gezogen haben, ist kein Zufall. Das Ereignis erscheint erst, wenn du bereit dafür bist, sprach der weise Buddha. Und der Seelenforscher C. G. Jung fand heraus: Was einem

Menschen widerfährt, und wann es ihm widerfährt, ist charakteristisch für ihn. Hinter jedem Zufall verbirgt sich der geheime Wunsch oder wenigstens die Bereitschaft, dieses Ereignis auf sich zu ziehen. Bei angenehmen Zufällen sind wir ohne weiteres bereit, sie mit unserer Veranlagung in Verbindung zu bringen. Bei Pech und Unglück sehen wir den Zusammenhang weniger gern. Aber Sie, aus Erfahrung klug, haben gemerkt: Auch unangenehme Ereignisse sind kein Zufall. Alles, was uns passiert, hat einen Sinn und gibt uns Feedback. Wir sind selbst verantwortlich für das, was uns passiert. Und für das, was wir daraus machen. Ärger bietet Lernchancen. Herausforderung macht Spaß. Das haben Sie erkannt. Und das ist mehr als die meisten Menschen je erkennen. Respekt! Sie haben das weiße Bärchen der Klarheit und der Erkenntnis und das rote Bärchen der Liebe und der Aktivität, dazu die drei grünen des

Selbstvertrauens, der Festigkeit, der harmonischen Entwicklung. Wir ziehen unseren Hut vor Ihnen! Und bitten Sie, gelegentlich ein paar Almosen dareinzulegen. Falls sich unsere Wege mal kreuzen. Rein zufällig.

NACHGIEBIGKEIT
DEUTLICHKEIT
CHARME

Rot	Gelb	Weiß	Grün	Orange
1	–	1	2	1

Haben Sie zufällig eine Nachbarin, der Sie immer was aus dem Supermarkt mitbringen sollen? Oder einen Freund, den Sie zur Hauptverkehrszeit zu seiner Autowerkstatt bringen? Und auf den Sie deshalb sauer sind? Haben Sie einen Chef, für den Sie Überstunden machen, während andere froh nach Hause gehen? Und den Sie dafür hassen? Oder haben Sie sich auf irgendeinen Posten hieven lassen, den Sie gar nicht wollten? Irgendwas von dieser Sorte haben Sie. Weil zwei grüne Bärchen bedeuten: Sie sagen häufig Ja, obwohl Sie eigentlich Nein meinen. Es fällt Ihnen schwer, eine Gefälligkeit abzulehnen,

die eigentlich eine Zumutung ist. Und Sie trösten sich damit, daß Sie gütig, liebenswürdig und hilfsbereit sind. Während Sie insgeheim mit den Leuten hadern. So. Damit ist jetzt Schluß. Der verständliche Wunsch, daß alle Sie mögen, führt lediglich dazu, daß niemand Sie respektiert. Und Sie haben schon gemerkt, daß Sie auf die Tour kein Selbstwertgefühl entwickeln, keine Ausstrahlung, keine Persönlichkeit. Aber nun haben Sie eine wundertätige Kombination gezogen. Rot ist das Coming-Out Ihres Mutes und Ihrer Zivilcourage. Sie setzen Grenzen. Sie lehnen Zumutungen ab. Sie wagen, Nein zu sagen. Am Telefon. An der Haustür. Im Schuhgeschäft, nachdem der Verkäufer sich eine Stunde lang bemüht hat. Weiß: Sie werden sich dabei auf Ihre Intuition verlassen können. Ihre innere Stimme wird immer deutlicher vernehmbar. Und Orange: Sie werden das alles auch noch auf heitere und charmante

Weise tun können. Ohne sich für Ihre Absage zu rechtfertigen. Sie machen so etwas nicht. Schluß. Ach, übrigens, da Sie so charmant sind. Können Sie uns mal anrufen? Wir wollen Sie nur um eine Gefälligkeit bitten.

ZERSTREUUNG
KLÄRUNG
AUFBRUCH

Rot	Gelb	Weiß	Grün	Orange
1	–	1	1	2

Na, ein bißchen überreizt? Etwas zerfahren? Ja, ja. Nervöse Spannung und innere Unruhe gehören zu Ihren hervorstechenden Eigenschaften. Sonst hätten Sie diese Kombination nicht gezogen. Zweimal Orange in dieser leckeren Verbindung ziehen nur Leute, die sich gern ablenken. Die freiwillig ihren Geist zerfleddern. Die sich etwas vormachen lassen. Vielleicht vom Fernsehen, vielleicht von Zeitschriften, vielleicht vom Internet. Sie wissen schon, wie Sie sich zerstreuen. Und Sie wissen insgeheim (das zeigt das weiße Bärchen der Intuition), daß Sie viel Zeit vergeuden. Lebenszeit. Beispiel Fernsehen. Niemand, den Sie auf dem Bildschirm sehen, ist an Ihnen interessiert. Okay, es gibt mal einen guten Film. Aber schalten Sie erst ein, wenn der Film beginnt? Und schalten Sie ab, wenn er zu Ende ist? Nein, Sie fangen an herumzuzappen. Wenn Sie das tun, machen Sie doch mal kurz aus, um herauszufinden, was jetzt ihr eigentliches Bedürfnis ist. Das führt zu überraschenden Erkenntnissen. Und schreiben Sie ruhig mal auf, was Ihnen die Glotze bieten soll. Werfen Sie gelegentlich einen Blick auf den Zettel; dann verringert sich Ihr Flimmerbedarf von allein. Das gilt für jede Art der Zerstreuung. Lassen Sie sich von anderen nichts vorleben. Schon gar nicht bei Ihren Begabungen. Oder predigen wir hier oberschlau herum, während Sie im Grunde schon viel weiter sind? Sie haben das grüne Bärchen der Ordnung und des Selbstvertrauens gezogen. Dazu das weiße Bärchen der Klarheit und der Intuition. Das heißt: Sie werden ausmisten. Werden Unerledigtes erledigen, Unabgeschlossenes abschließen, Ungeklärtes klären. Und das rote Bärchen zeigt schon den Energieschub an, den Sie dadurch erhalten. Die Aufbruchsstimmung, die Sie ergreift. Ja, Sie werden endlich die Kehrseite der Zerstreuung nach außen tragen: Ihre eigene schöpferische Energie, Ihre heitere Kreativität. Es wird richtig lustig mit Ihnen!

ENERGIE
SENSIBILITÄT
EINFALLSREICHTUM

Rot	Gelb	Weiß	Grün	Orange
1	–	1	–	3

Waren Sie schon mal in Marokko? Dann wissen Sie ja auch, was es bedeutet, wenn dort eine Frau Ihrem Mann abends drei Orangen serviert. Richtig: Er soll sich was Neues einfallen lassen. Und wofür? Na ja, nicht fürs Kaffeekochen! Auch nicht fürs Teppichknüpfen. Sondern nachts. Alles klar? Dreimal Orange heißt nämlich: Kreativität. Heißt Spiel. Ideenreichtum. Und genau das haben Sie jetzt gezogen. Und dazu noch ein rotes und ein weißes Bärchen. Eine glückliche Kombination! Ihnen wird also was einfallen, eine Menge sogar, das ist garantiert. Sie können zum Beispiel sofort eine marokkanische Nacht anzetteln. Ihr rotes Bärchen steht immerhin für Liebe, Sex, Aktivität. Und Ihr weißes für Intuition, Sensibilität, Träume. Sie werden mit dieser Kombination nicht die leidenschaftlichsten Nächte Ihres Daseins erleben. Aber die originellsten. Die leichtesten. Die witzigsten. Aber vielleicht sind Sie auf Liebe im Augenblick gar nicht so scharf? Dann können Sie sicher sein: Sie werden Ihre enorme Kreativität (orange) mit Intuition (weiß) und Energie (rot) umsetzen. Es wird Sie interessieren, daß auf der letzten Erfindermesse in Basel genau diese Bärchenkombination ungewöhnlich oft gezogen wurde. Und das gerade von den erfolgreichsten Erfindern. Aber Sie müssen jetzt keine neue Maschine zum Gemüsezerkleinern oder Hundeverjagen konstruieren. Ihre Phantasie können Sie ebenso für Ihre künstlerische Begabung nutzen. Oder für die Neufassung Ihrer Beziehung. Gerade die Kombination von Einfallsreichtum mit Sensibilität und Liebesfähigkeit kann Ihnen da eine glückliche Wendung bringen.

TRÄGHEIT
STAGNATION
ENERGIESCHUB

Rot	Gelb	Weiß	Grün	Orange
1	–	–	4	–

Gut für Sie, daß Sie ein rotes Bärchen gezogen haben. Gut auch für uns. Denn viermal Grün ohne so einen energischen, kleinen Kick an Lebensfreude, das wäre ja trist gewesen. Zum Einschlafen. Haben Sie von Arnold Drury gehört? Dem größten Hypnotiseur dieses Jahrhunderts? Dann wissen Sie auch, was er seinen Klienten suggerierte, damit sie in Tiefschlaf verfielen: vier grüne Farbflecke. Nicht drei, auch nicht fünf, da wurden die Leute noch kribbelig. Aber bei viermal Grün, da schliefen sie ein. Und so ist das

auch bei Ihnen. Sie befinden sich in einem Zustand des Tiefschlafs. Das wollen Ihnen die Bärchen sagen. Sie sind nicht wach. Es geht nicht vorwärts bei Ihnen. Sie befinden sich in einem Zustand der Stagnation. Aber keine Sorge, das Gegenmittel kündigt sich an. Es kommt Bewegung in Ihren Sumpf. Wie bitte? Sie wollen uns einreden, Sie machen doch alles mögliche? Sie seien durchaus tätig? O nein! Scheinbar vielleicht. Aber in Ihnen drin gähnt die Leere. Da ist nichts los. Was Sie an der Oberfläche abfackeln, das sind Ablenkungsmanöver. Sorry, bei Ihnen ist Langeweile angesagt. Stagnation. Oder, zum Glück, das war so. Jetzt leuchtet ein Licht am Ende des Tunnels. Jetzt kommt eine neue Farbe in Ihr Einerlei. Denn Rot, das bedeutet: Aufbruch. Bedeutet Action. Es geht los. Mit der Liebe. Mit der Freude. Mit der Energie. Und das nicht nur so mal eben und obenhin. Sondern von Grund auf beginnt etwas Neues. Etwas Prickelndes. Etwas Verheißungsvolles. Daß Sie nur ein einziges rotes Bärchen gezogen haben, heißt zwar: Sie müssen auch selbst was dafür tun. Ganz von allein kommen Sie nicht in Bewegung. Aber bei den Chancen, die sich demnächst auftun, werden Sie schwerlich in Ihrem Schnarchsessel sitzenbleiben!

VERANTWORTUNG
KREATIVITÄT
WEISHEIT

Rot	Gelb	Weiß	Grün	Orange
1	–	–	3	1

Alle Achtung. Sie haben viel erlebt, und Sie sind sogar klug daraus geworden. Und das in Ihrem zarten Alter! Respekt! Die Bärchen zeigen: Es gab eine Zeit, in der haben Sie gern die Rolle des Opfers gespielt. Um nicht selbst verantwortlich zu sein. Ein Stau war schuld, wenn Sie zu spät kamen. Ihren Eltern lasteten Sie an, wenn Sie unter Hemmungen litten. Sie fühlten sich als Opfer des Wetters, der Umstände, der Planeten, der Erziehung, des Partners und wollten damit immer nur eines sagen: Sie selbst fühlten sich nicht verantwortlich für das, was Ihnen geschah. Doch das hat sich geändert. Sie haben Ihre Erfahrungen gemacht. Und Sie haben gemerkt: Eine Wendung zum Besseren kann es nur geben, wenn Sie sich nicht nur zuständig fühlen für das, was Sie tun, sondern ebenso für das, was Ihnen getan wird. Sie haben kapiert: Alles, was Ihnen passiert, hat einen Sinn. Es gibt Ihnen Feedback. Wenn Sie bestohlen werden, hat das etwas mit Ihrem Mangel an Abgrenzung zu tun. Wenn Sie von jemand anderem unterdrückt werden, haben Sie sich vorher bereits selbst unterdrückt. Wenn andere Sie betrügen, haben Sie innerlich sich selbst betrogen. Niemand ist ein Opfer. Das, was andere einem tun, hat man innerlich sich selbst angetan. Das gilt für jeden Menschen. Nur: Sie haben das erkannt. Und Konsequenzen daraus gezogen. Sie arbeiten an sich. Entfalten sich. Das zeigt das rote Bärchen der Liebe und der Aktivität zusammen mit dem orangenen Bärchen des kreativen Arbeitens. Und erst die drei grünen: Die zeigen das Vertrauen an, das Sie in der Gang der Ereignisse haben dürfen. Die große Sicherheit, die in Ihnen ist. Die Festigkeit. Die Güte. Die Ruhe. Sie haben sich bereits weit entwickelt. Und Sie haben einen großartigen Weg vor sich. Und wenn kümmerliche Gestalten wie wir mal am Wegrand stehen, dann haben Sie doch bitte ein gütiges Wort für uns und ein paar Almosen!

OBERFLÄCHLICHKEIT
SCHWÄCHE
MUT

Rot	Gelb	Weiß	Grün	Orange
1	–	–	2	2

Zweimal Orange bedeutet: Sie versuchen, sich mit Oberflächlichkeiten durchzumogeln. Und zweimal Grün heißt faule Kompromisse. Wie das zusammengeht? Na, ganz einfach. Zum Beispiel so. Das Telefon klingelt. Sie heben ab und zucken zusammen. Denn da meldet sich Ihre drittbeste Freundin. Das ist die, von der Sie immer nur jede Menge Downs, Durchhänger und Depressionen serviert bekommen. Weil diese Frau dauernd Probleme hat, sagen wir mal, mit Männern. Irgendwie lernt sie immer die falschen kennen. Ausnutzer, Fieslinge, Grobiane. Und Sie sind die oder der Auserwählte, der sich diese Katastrophen regelmäßig anhören muß. Irgendwann war das noch interessant. Damals hatten Sie Mitleid und haben versucht, Rat zu geben. Aber die ewige Wiederholung nervt. Das nölige Gejammer zieht Sie runter. Dennoch hören Sie zu, immerhin ist es Ihre Freundin. Was sollen Sie sonst machen? Etwa Klartext reden? Bisher hatten Sie nicht den Mut dazu. Doch jetzt haben Sie ein rotes Bärchen gezogen. Und das bedeutet: Courage. Bedeutet, Sie sind beherzt genug, Leuten, die Sie negativ finden, eine Grenze zu zeigen. Beispiel: Hör mal, allmählich kenne ich dieses Problem, und du mußt mal überlegen, was du selber dran ändern kannst, ich möchte jedenfalls nichts mehr damit zu tun haben! Die Freundin wären Sie erst mal los. Aber erstens wollen Sie das vielleicht, und zweitens können Sie es auch akzeptieren, daß man Sie ablehnt. Doch das rote Bärchen zeigt noch mehr: Sie sind stark genug, um andere aufzubauen. Nicht durch Windelweichheit. Sondern durch Entschiedenheit. Indem Sie selber mutig sind, ermutigen Sie auch andere.

KREATIVITÄT
VERLÄSSLICHKEIT
LIEBE

Rot	Gelb	Weiß	Grün	Orange
1	–	–	1	3

Atlanta, Georgia, im Jahre 1932. Eine junge Frau betritt den elegantesten Parfumladen der Stadt. Sie verlangt den Eigentümer. Sie sagt: Mischen Sie mir den Duft des Südens. Der Mann nimmt den holzigfrischen Duft der Pinien. Den süßen der Rose. Und den herben der Orange. Er mischt. Er läßt die junge Frau schnuppern. Sie sagt: Mehr Orange. Er gehorcht. Wieder die Probe. Und sie sagt: Noch einmal Orange! Dann ist sie zufrieden. Sie nimmt diesen Duft mit nach Hause. Drei Teile Orange, ein Teil rote Rose, ein Teil grüne Pinie. Sie trägt ihn jeden Tag. Denn sie braucht ihn. Zur Inspiration. Ihr Name: Margaret Mitchell. Der Titel des Romans, den sie mit diesem Duft schreibt: Vom Winde verweht. Und jetzt sind Sie dran. Auch Sie haben diese Kombination: Rot für die Energie und die Liebe, Grün für Beständigkeit, dreimal Orange für Einfälle, Reisen, Kreativität. Es ist eine ideale Kombination zum Schreiben von Liebesromanen. Dazu nämlich reichen nicht Einfälle und Energie, dazu braucht es beständiges Weiterarbeiten Tag für Tag. Sie wollen keinen Roman schreiben? Müssen Sie ja nicht. Sie können den produktiven Schub, den die Bärchen ankündigen, auch anders nutzen. Sie können Ihre Ideen in Arbeit umsetzen, in ein Projekt, das Ihnen am Herzen liegt. Dieses Projekt kann sogar Ihre Beziehung sein. In allem, was Sie jetzt anfangen, werden Sie von schöpferischer Phantasie beflügelt. Und das Beste: Dieses Coming-Out Ihrer Originalität ist kein Kurzbrenner. Keine schnell platzende Seifenblase. Denn grün steht für Verläßlichkeit. Für geordnetes Vorgehen. Für Treue. Wer Sie als Liebhaber gewinnt, hat Glück. Und das sogar für eine ganze Weile.

ZWEIFEL
UNZUFRIEDENHEIT
AUFBRUCH

Rot	Gelb	Weiß	Grün	Orange
1	–	–	–	4

Sie wollen Ihr Leben ändern. Aus dieser seltenen Bärchen-Kombination ist es sonnenklar abzulesen. So wie Sie jetzt leben, das ist okay gewesen, aber das reicht Ihnen nicht mehr. Das ist nicht das, was Sie eigentlich wollen. Zu oft haben Sie gedacht: Bei mir ereignet sich nichts. Und: Eigentlich bin ich ganz anders, aber ich komme nicht dazu. Häufig genug haben Sie geseufzt darüber, daß Sie sich schwer und unbeweglich fühlen – obwohl Sie es im Grunde nicht sind. Lange genug haben Sie andere Leute um deren Glück beneidet. Wollen Sie noch weiter darauf warten, daß das Schicksal Ihnen einen Wink gibt? Diese Bärchen-Kombination ist der Wink. Wollen Sie sich ewig damit herausreden, daß Sie sich unter anderen Umständen ganz anders entwickelt hätten? In den Müll mit der faulen Entschuldigung. Sie selbst schaffen die Umstände. Wollen Sie immer noch behaupten, Sie würden gern runterkommen von dieser Schiene, aber der Zug sei abgefahren? Der eine ist abgefahren, ja, der nächste auch, aber hier steht schon wieder ein neuer, und Sie können sofort in

die Lokomotive klettern. Okay. Sie haben die vier orangenen Bärchen der Oberflächlichkeit, des Zweifels und des Selbstbetrugs gezogen. Und das rote Bärchen der Energie und des Aufbruchs, das Ihrem Schaukelzustand ein Ende setzt. Es gibt noch ein paar ungeklärte Beziehungen, die Ihrem Abflug im Wege stehen. Ein paar unerledigte Angelegenheiten und hinausgeschobene Entscheidungen. Aber die werden Sie sichten, die werden Sie klären. Denn Sie haben alles in sich, was Sie zu Ihrem Glück brauchen. Und hinter jeder Ihrer Schwächen steckt eine Stärke. Sie haben endlich gemerkt, daß alles, was Ihnen passiert, einen Sinn hat. Daß noch der überflüssigste Ärger Ihnen wertvolles Feedback gibt. Daß Frust Lernchancen bietet. Daß Herausforderung Spaß macht. Und daß Sie selbst total verantwortlich sind für das, was Ihnen passiert. Es geht los! Und es wird spannend! Sie sind ein Thriller!

GELD
BEGABUNG
KARRIERE

Rot	Gelb	Weiß	Grün	Orange
–	5	–	–	–

Räumen Sie den Keller leer, den Dachboden frei, reißen Sie alle Fenster auf. Hoch die Tür, die Tore weit, Zaster kommt hereingeschneit! Sie hatten schon gar nicht mehr damit gerechnet: Geld, die fließende Energie, fließt endlich mal zu Ihnen. Und zwar massiv. Sie  wissen vielleicht, daß sich John D. Rockefeller fünf Kanarienvögel hielt, gelbe natürlich, weil er sicher war, daß die ihm Glück brachten. Er wurde der reichste Mann Amerikas. Sie wissen auch, daß im alten China jeweils zum Frühlingsanfang die ersten fünf gelben Blüten nach Peking gebracht wurden, in den Kaiserpalast, denn fünf gelbe Blüten galten als Symbol für Glanz und Wohlstand. So ist das auch mit fünf gelben Bärchen. Nur: Das Geld fließt nicht zu Ihnen, weil Sie fünfmal Gelb gezogen haben. Sondern Sie haben fünfmal Gelb gezogen, weil Sie endlich offen sind für den Fluß des Geldes. Sie sind bereit, reich zu werden. Bisher hatten Sie lediglich eine Sehnsucht danach, Sie glaubten nicht daran. Und das ändert sich gerade. Ihnen wird klar, daß Sie selbst viel mehr wert sind, als Sie bisher gedacht haben. Und Sie haben nicht das geringste dagegen, daß Ihr innerer Wert nun seine äußere Entsprechung findet. Daß Sie Ihren inneren Reichtum nach außen tragen. Denn fünf gelbe Bärchen bedeuten auch: Sie können jetzt mit Ihren Talenten wuchern. Ob Sie eine Doktorarbeit schreiben oder ein Haus bauen, ob Sie einen Acker umpflügen oder einen Investmentfonds gründen wollen: Ihre Arbeit, Ihre Begabungen, Ihre Unternehmungen werden jetzt unterstützt wie nie zuvor. Sie können Karriere machen und goldene Dukaten einsacken. Bedenken Sie aber: Geld ist eine Energie, die im Fluß bleiben muß. Sie darf nicht nur zu Ihnen hinfließen. Sie müssen sie auch wieder wegfließen lassen. Wohin? Na, denken Sie mal an uns! Wir waren doch immer gute Freunde!

GEIZ
BLOCKADE
BEFREIUNG

Rot	Gelb	Weiß	Grün	Orange
–	4	1	–	–

Vier gelbe Bärchen! Wissen Sie, was das heißt? Daß Sie demnächst Ihre Liebsten mal ganz groß ausführen werden! Warum? Damit Ihr Geld endlich mal ins Fließen kommt. Damit Ihre Energie sich nicht mehr so staut. Sie denken zuviel über Geld nach, und zwar auf eine Weise, die Ihnen selbst Fesseln anlegt. Das heißt viermal Gelb. Vier gelbe Lilien hatte Wilhelm II. In seinem Wappen. Sie wissen schon, der abgeschobene deutsche Kaiser, der den größten Teil seiner Zeit damit verbrachte, krumme Nägel wieder geradezuklopfen. Mit vier gelben Streifen verzierte Adnan Kashoggi seine Yacht. Wissen Sie auch: der saudische Waffenschieber, der die Kippen seiner Gäste einsammeln und aus den Tabakresten neue Zigaretten drehen ließ. Längst abgehalftert, der Mann. Aber merken Sie, daß diese beiden Leute Ihnen irgendwie verwandt sind? So ganz entfernt? Im Denken? Aber sicher merken Sie das. Viermal Gelb, das bedeutet Blockade. Auf beruflicher, finanzieller, energetischer Ebene. Und wer blockiert Sie eigentlich? Das wissen Sie natürlich. Ein einziger Mensch nur. Ein ganz Unbarmherziger. Nämlich Sie selbst. Okay, aber jetzt haben Sie noch ein weißes Bärchen dazu gezogen. Und das ist das Licht, das Ihnen aufgeht. Jetzt oder spätestens heute nacht. Das ist Ihre Phantasie. Ihre Intuition. Ihre Fähigkeit loszulassen. Das ist Ihre Begabung, jede Blockade sogar Ihre eigene, zu lösen. Das weiße Bärchen steht für Ihre tiefe Sehnsucht nach vollkommener Freiheit. Eine Sehnsucht die stärker ist als das, was hinter den Blockaden steckt – Furcht vor dem Neuen. Dem Ungewohnten. Vor den Kommentaren der anderen. Das weiße Bärchen zeigt an: Sie streifen diese

138

Furcht ab. Sie lösen sich aus der Erstarrung. Kommen raus aus sich. Na ja, und ein erster Schritt könnte sein, daß Sie mal einen ausgeben, und daß Sie sich das richtig was kosten lassen. Weil Sie was zu feiern haben. Und wir feiern mit!

BLOCKADE
GEIZ
SELBSTVERTRAUEN

Rot	Gelb	Weiß	Grün	Orange
–	4	–	1	–

Aus. Vorbei. Viermal Gelb! Mensch! Sie kann man ja glatt von der Adressenliste streichen! Sie sind ja sowieso nicht erreichbar! Viermal Gelb heißt nämlich: Blockade. Heißt: Sie richten Mauern auf. Und fürchten sich davor, daß jemand rüberklettern könnte. Und wenn Sie sich wundern, daß beruflich bei Ihnen nichts läuft, daß Sie finanziell auf keinen grünen Zweig kommen, daß bei Ihrer Arbeit nichts rauskommt, dann liegt das nicht an anderen. Dann liegt das an Ihnen. Wissen Sie, wer vier gelbe Rosen als Wahrzeichen hatte? Ross Perot. Dieser eingelochte texanische Öl-Tycoon, der noch als Superreicher seine Hausangestellten aufforderte, am Neujahrstag das Lametta von fortgeworfenen Tannenbäumen zu sammeln. Es wurde aufgebügelt für das kommende Jahr. Und vier gelbe Tulpen hatte stets Gerard Phi-

lips auf seinem Schreibtisch. Dieser holländische Glühbirnen-Millionär. Der hatte in seinem Arbeitszimmer einen Schalter, mit dem er abends das Licht im ganzen Haus abdrehte. Aus Sparsamkeit. Ich finde, die Orientierung im Dunkeln schärft die Sinne, teilte er seinen Gästen mit. Fühlen Sie sich diesen leicht angeknacksten Persönlichkeiten verwandt? Ein bißchen? Nein? Na, schön. Im Gegensatz zu denen haben Sie ja auch noch die Farbe Grün gezogen. Nur einmal aber das reicht schon. Grün bedeutet: Sie kriegen einen sanften aber kräftigen Schub Selbstvertrauen. Sie sorgen dafür, daß man sich auf Sie verlassen kann. Sie erlangen eine neue Festigkeit. Sie räumen in Ihren ganzen Kramschubladen auf und schmeißen weg, was Sie schon lange nicht mehr benötigen. Sie sorgen für

Klarheit. Und siehe da, schon werden Sie zugänglicher. Werden Sie lockerer. Großzügiger. Sie merken, daß Sie etwas weggeben müssen, um etwas zu bekommen. Sehr gut! Wir behalten Sie auf der Adressenliste! Wir streichen Ihren Namen sogar rot an! Lohnt sich ja richtig, Sie zu kennen!

GEIZ
VERKNIFFENHEIT
KREATIVITÄT

Rot	Gelb	Weiß	Grün	Orange
–	4	–	–	1

Haben Sie von dem Dichter Lothar Schöne gehört? Der ist reich. Aber er feiert Weihnachten stets mit Verspätung. Warum? Weil es nach den Feiertagen die Schokoladen-Weihnachtsmänner immer viel billiger gibt. Später feiern, sagt er, spart Geld. Haben Sie von Prince

Charles gehört? Dann wissen Sie vielleicht, daß der beim Briefeschreiben die i-Punkte wegläßt. Warum? Um Tinte zu sparen. Zur Zeit der Französischen Revolution lebte ein gewisser Romain de Castelbagnac. Der versuchte eines Tages, sich zu erhängen. Hätte er auch geschafft, wäre nicht zufällig sein Diener reingekommen. Der schnitt eilig das Seil durch und rettete seinem Herrn das Leben. War der ihm dankbar? Für das Leben ja. Trotzdem entließ er den Diener ohne Abfindung. Warum? Weil der das nagelneue Seil bedenkenlos durchgeschnitten hatte, statt den Knoten zu lösen. Nun war es nicht mehr zu gebrauchen! Was sagen Sie dazu? Sie lachen. Ja. Aber diese Leute sind Ihre Spiegelbilder. Denn Sie sind ebenfalls überaus sparsam. Genauer gesagt: geizig. Ja, Sie sind schon ganz gelb vor Knauserigkeit. Sie sind ein Pfennigfuchser ohnegleichen. Richtig fanatisch. Vier gelbe Bärchen, Mensch! Wenn Sie so weitermachen, kriegen Sie Gicht und Gallensteine! Jetzt fällt Ihnen die Kinnlade runter, was? Gut. Das war beabsichtigt. Wir wollten Sie ein bißchen schocken. Das können Sie nämlich vertragen. Das tut Ihnen sogar gut. Weil Sie Humor haben. Witz. Geist. Weil Sie, das orangene Bärchen zeigt es, im Grund heiter und spielerisch sind. Weil Sie aber ein bißchen getreten werden müssen, um diese leichtfüßige Eigenschaft nach außen zu kehren. Doch genau das tun Sie jetzt! Im Herzen sind Sie ein Komödiant. Und Sie warten nur darauf, Ihre knickerige Sparsamkeit zu verabschieden. Und wir warten auch darauf! Also, nun machen Sie mal!

EHRGEIZ
TÄUSCHUNG
AUFSTIEG

Rot	Gelb	Weiß	Grün	Orange
–	3	2	–	–

Sie haben die Lieblingsfarben eines berühmten Menschen gezogen. Nämlich des österreichischen Heimatkundlers Albert Spindler. Den kennen Sie nicht? Warten Sie es ab. Spindler betrieb ein kleines Museum im Ötztal. Dreimal Gelb: Er hatte etwas Geniales, genau wie Sie. Aber zweimal Weiß: Er nutzte sein Genie auch, um andere zum Narren zu halten. Wie Sie das auch mal tun. Seinen größten Coup landete er am Ende seiner Tage. Da packte er ein paar Gegenstände seines Museums zusammen: Pfeil und Bogen und ein Beil aus der Bronzezeit, 5000 Jahre alte Sandalen und Fetzen aus Leder. Angezogen wie ein steinzeitlicher Jäger, stieg er zum Similaungletscher hinauf und legte sich an einer unzugänglichen Stelle zum Sterben.

Das war 1976. Danach wuchs das Eis über ihn. Erst 15 Jahre später wurde die Leiche gefunden. Sie war unidentifizierbar und

sah altertümlich aus. Nun kam Spindlers Sohn Konrad zum Zuge, ein Archäologe, den der Vater eingeweiht hatte. Der untersuchte den angeblich unbekannten Leichnam und verkündete, es handele sich um einen Menschen aus der Bronzezeit. Ötzi wurde weltberühmt. Würden auch Sie solche Umwege gehen, um zu Ruhm zu gelangen? Sie haben die Begabung. Doch Ihr Aufstieg verläuft geradliniger. In Spindlers Familienwappen finden sich die Farben Weiß und Gelb nur je zweimal. Sie aber haben dreimal Gelb gezogen. Und das heißt: Sie kennen zwar diese Lust an der Illusion, am Spiel mit der Täuschung (zweimal Weiß). Aber Ihr Ehrgeiz, Ihr Fleiß, Ihr

Entschlußkraft, Ihr Wunsch nach Klarheit sind stärker. Und Sie haben ein Händchen fürs Geld, das Umwege überflüssig macht. Dreimal Gelb: Sie werden zu Glanz kommen. Aber nicht als jemand anderes. Sondern als der, der Sie sind.

SCHAFFENSKRAFT
INTUITION
VERTRAUEN

Rot	Gelb	Weiß	Grün	Orange
–	3	1	1	–

Hehe! Bei Ihnen kommt was in Bewegung! Überraschend, was? Sie haben ein weißes Bärchen gezogen. Das bedeutet: Ihnen wird ein Licht aufgehen. Vielleicht sogar zwei. Jedenfalls wird es hell und klar bei Ihnen im Köpfchen. Ihr bedürftiges Gehirn bekommt Frischluft. Ihr Geist atmet durch. Das erstens. Und zweitens haben Sie ein grünes Bärchen gezogen. Das heißt: Sie bekommen Ruhe dazu und Zuversicht. Es wird Verlaß auf Sie sein. Ma' ganz was Neues, wie? Und jetzt kommt das Beste: Wir können Ihnen garantieren, daß aus Ihnen was wird! Weil Sie nicht nur geistesblitzhaft Ideen und Ziele erträumen und sich damit zufriedengeben. Sondern weil Sie eine geballte Ladung Ehrgeiz und Durchsetzungskraft injiziert bekommen. Das genau bedeuten nämlich die drei gelben Bärchen! Unter uns gesagt: Diese Kraft kommt nicht mal von außen. Die kommt aus Ihnen selbst. Und die war immer da. Aber erst jetzt kommt die voll zum Tragen. Weil Sie erst jetzt bereit sind, bei sich auszumisten und Plunder zu verabschieden. Weil Sie erst jetzt gewillt sind, Ihrem Traum zu folgen. Ja, da kommt Ihr inneres Kraftwerk plötzlich auf Touren. Sie haben richtig Lust, ein paar Schweißtröpfchen zu vergießen. Weil Sie merken: Sie sind auf der Siegerstraße. Wenn Sie dem folgen, was in Ihnen angelegt ist. Das ist nämlich ganz schön vielversprechend. Und wir versprechen uns auch was davon. Weil Ihnen nämlich – dreimal Gelb! – materiell Werte zufließen werden. Und weil Sie ein sensibler (weiß) und gütiger (grün) Mensch sind. Verstehen Sie, worauf wir hinaus wollen? Na, sehen Sie. Da ist Ihnen ja schon das erste Licht aufgegangen!

GLANZ
KLARHEIT
KONTAKTE

Rot	Gelb	Weiß	Grün	Orange
–	3	1	–	1

Kennen Sie das bezaubernde Volk der Kanuri? Nein? Interessiert Sie auch nicht? Warten Sie es ab. Die Kanuri wohnen am Tschad-See. Und die haben einen originellen Brauch. Die bestimmen nämlich Ihre Herrscher nach der Gunst eines Vogels. In der Gegend um den Tschad-See gibt es einen Vogel, der so merkwürdig ist wie bei uns der Kuckuck. Dieser Vogel heißt Sef. Sein Federkleid ist fast vollkommen gelb. Nur die beiden Flügel sind von unterschiedlicher Farbe: Der eine ist weiß, der andere orange. Dieser eigenartige Vogel Sef kommt meist zu Anfang des Jahres ins Land. Und dann beobachten alle, wohin er fliegt. Erst sitzt er auf den Bäumen. Aber irgendwann landet er auf einem Dach. Und der Mann oder die Frau, auf deren Dach der Vogel Sef als erstes landet, wird nun unter großem Jubel für ein Jahr zum Herrscher der Kanuri gekrönt. Was das mit Ihnen zu tun hat? Sie haben genau die Farbanteile des Vogels Sef gezogen! Und wenn Sie mit Ihren fünf Bärchen zu den Kanuri reisen würden, würde man Sie garantiert zum Herrscher krönen! Weil Sie die nötigen Eigenschaften haben. Denn Weiß bedeutet: Sie haben die geistige Klarheit. Orange: Sie können leicht Beziehungen knüpfen. Und der starke Gelb-Anteil weist auf Ihre enorme Arbeitsfähigkeit hin – und auf den Glanz und Wohlstand, den Sie sich damit erwerben. Bei den Kanuri würde Ihnen Ihr Volk die Reichtümer zu Füßen legen. Das tun wir nicht. Weil wir nämlich geizig sind. Aber Sie, Sie brauchen nicht geizig zu sein. Denn was Sie brauchen, und noch mehr, wird Ihnen zufließen. Also denken Sie an uns! Seien Sie ein großzügiger Herrscher! Fangen Sie gleich damit an!

ANSPRUCH
BEQUEMLICHKEIT
AUFSTIEG

Rot	Gelb	Weiß	Grün	Orange
–	3	–	2	–

Haben Sie Lust, Präsident der französischen Lottogesellschaft zu werden? Mit wenig Arbeit und hohem Gehalt? Klar. Das würden Sie mal eben so mitnehmen. Denn dreimal Gelb: Sie haben eine starke materielle Ader. Aber zweimal Grün: Besonders anstrengen wollen Sie sich nicht dafür. Und die Lottogesellschaft hat, bewußt oder unbewußt, genau diese Farben in ihrem Emblem. Zwei gelbe und zwei grüne Streifen. Und jetzt wird's interessant. Ihr Vorgänger da, der letzte Präsident, hat eine Nachforschung angestellt. Bei hundert Supergewinnern. Und was kam heraus? Genau 73 dieser Jackpot-Knacker waren zehn Jahre danach wieder verarmt und verschuldet. Zwölf weitere wurden wegen Depressionen oder Alkoholismus behandelt, drei hatten Selbstmord begangen, einer hatte seine Frau erschossen. Nur elf Großgewinner machten einen heiteren Eindruck. Es waren diejenigen, die weiterhin beruflich aktiv waren, und diejenigen, die von ihrem Geld vieles gestiftet hatten. Alles klar? Ja. Denn Sie haben dreimal Gelb – nicht nur zweimal wie die Lotto-Könige. Sie haben genau dieses Quentchen Ehrgeiz, Arbeitslust, Anspruch, das den Losern unter den Gewinnern fehlt. Und dieses leichte Phlegma (zweimal Grün), das Sie in den Fernsehsessel sacken läßt, das wird mühelos beiseite gefegt von Ihrem Verlangen, mehr aus sich zu machen. Dreimal Gelb ist einfach stärker als zweimal Grün. Leuten wie Ihnen kann man einen Aufstieg ziemlich sicher voraussagen. Sie werden sich viele Wünsche erfüllen können. Und wenn Sie dennoch nie ganz zufrieden sind, dann liegt das an dem Motor, der in Ihnen brummt, und der sie weitermachen und immer höher streben läßt. Überlassen Sie die Lottogesellschaft den Verlierern. Zu Ihnen kommt der Energiefluß des Geldes auf ganz natürlichem Weg. Aber bauen Sie bitte keine Staumauer auf. Sie wissen doch: Glücklich sind die Stifter. Und Sie ahnen doch wohl schon, wer auf Ihre Stiftung wartet?!

SCHÄTZE
SELBSTVERTRAUEN
KREATIVITÄT

Rot	Gelb	Weiß	Grün	Orange
–	3	–	1	1

Ein altes Märchen aus Peru erzählt, wie sich ein Kind in den Bergen verirrt. Es gerät in eine Schlucht, an deren Ende eine Felsentür den Weg versperrt. Daneben liegen Gerippe im Gebüsch; etliche Menschen sind schon am Öffnen dieser Tür gescheitert. Kein Wunder, denn die Tür hat weder einen Griff noch ein Schloß. Doch sie ist mit farbigen Edelsteinen besetzt. Und als das Kind erschöpft zu weinen beginnt, ertönt eine Stimme: Wähle deine Farben. Das Kind denkt: Gold ist die schönste Farbe. So drückt es auf einen goldgelben Edelstein. Dreimal. Immerhin, die Tür knarrt.

In diesem Augenblick geht die Sonne unter. Das Kind erschrickt. Schatten legen sich über die Büsche und Blätter, die grüne Farbe erlischt. Eilig drückt es auf einen grünen Stein. Da geht ein Ruck durch die Tür. Aber sie öffnet sich nicht. Es wird noch dunkler. Ich brauche die Sonne! denkt das Kind und berührt einen leuchtend orangenen Stein. Da springt die Tür auf. Im Inneren des Berges eröffnen sich unendliche Schätze. Diener verbeugen sich vor dem Kind. Man jubelt ihm zu. Zufällig hat es genau die Kombination

gewählt, welche die Tür öffnete. Und Sie? Sie ebenfalls. Was bedeutet das? Daß Sie jetzt nach Peru reisen sollen? Nein, das Kind hat den Berg nämlich total ausgeräumt. Und vor allem ist das Ganze natürlich ein Sinnbild. Das bedeutet: Wenn Sie den Schatz in Ihrem Inneren erschließen, fließt Ihnen auch von außen der Reichtum zu. Und Sie sind drauf und dran, Ihren Schatz zu heben. Das heißt dreimal Gelb

Der Ehrgeiz packt Sie. Die Lust am Schaffen. Dazu kommen Grün, also Zuversicht und Selbstvertrauen, und Orange, die Fähigkeit zu Kontakten und Kreativität. Ja, Sie werden diesen Schatz strahlen lassen. Und wir werden uns verbeugen. Vielleicht sogar jubeln. Nur bedienen werden wir Sie nicht.

EHRGEIZ
LEICHTSINN
WUNSCHERFÜLLUNG

Rot	Gelb	Weiß	Grün	Orange
–	3	–	–	2

Dreimal Gelb: Sie haben ein Händchen fürs Geld. Aber zweimal Orange: Sie sind leichtsinnig. Charmanten Leuten wie Ihnen muß man raten sich ihre Wünsche bewußtzumachen. Die wirklichen, großen Wünsche. Was haben Sie nicht schon alles Unnützes gekauft

Lauter Kleckerkram. Und wieviel haben Sie ausgegeben, um die Anerkennung anderer Leute zu kriegen. Um Freunde zu beeindrucken. Alles überflüssig! Machen Sie sich von den anderen unabhängig, werden Sie sich über Ihre eigenen Wünsche klar, und arbeiten Sie an deren Verwirklichung. Zum Beispiel: Mieten Sie genau die Wohnung, in der Sie sich wohlfühlen. Greifen Sie einmal ganz tief in die Kiste und kaufen Sie den Roadster, den Sie immer nur durch die Scheibe sehen. Das unverschämt teure Bild, das Sie seit der Vernissage nicht vergessen können. Das Jil-Sander-Kleid oder den Armani-Anzug, in dem Sie gut aussehen. Nur wer den Mut hat, seine großen Wünsche zu verwirklichen, dem fließt das Geld zu. Aber das Gute bei Ihnen ist: Je älter Sie werden, desto mutiger werden Sie auch. Und desto großzügiger. Viele Leute werden ja mit den Jahren ängstlicher. Und kleinlicher. Aber nicht Sie. Nicht mit drei gelben Bärchen. Sie trauen sich immer mehr zu. Mit Recht. Sie verlagern Ihre Tätigkeit immer mehr auf das, was Sie eigentlich und immer schon tun wollten. Und kriegen dabei jede Menge aufmunterndes Feedback. Sie begeben sich immer mehr in den Fluß jener Energie, deren eine Form das Geld ist. Eine andere Form ist: Selbstbewußtsein. Noch eine andere: Liebe. Dreimal Gelb bedeutet: Sie tun immer mehr das was Ihnen Freude macht. Denn die Tätigkeit, bei der Sie sich richtig wohlfühlen, die bringt's. Die Neigung zum Leichtsinn, zur Zerstreuung, die werden Sie vielleicht nie ganz verlieren. Aber ist das schlimm? Finden wir nicht. Zerstreuen Sie doch mal was! Wir fegen es auf!

HEMMUNG
KLÄRUNG
INNERES WISSEN

Rot	Gelb	Weiß	Grün	Orange
–	2	3	–	–

Dreimal Weiß! Glückwunsch! Große Seher haben diese Kombination! Leute, denen man gar nicht viel sagen muß, weil sie alles spüren. Menschen, die aus ihrer Intuition heraus mehr wissen als andere nach lebenslangem Studium. Hört sich gut an, wie? Klingt bequem. Aber ganz so weit sind Sie ja leider noch nicht. Sie haben zweimal Gelb gezogen. Und das heißt: Sie sind von Ihrem eigenen Wert nicht so recht überzeugt. Zum Beispiel das Thema Geschenke. Für Leute mit zweimal Weiß ist es typisch, daß ihnen das Annehmen von Geschenken Verlegenheit bereitet. Sie wünschen sich was, klar. Aber Sie fühlen sich nicht gern verpflichtet. Also, das ist das erste, was Sie jetzt lernen. Sie lernen, Geschenke ohne Verlegenheit anzunehmen. Denn jedes Geschenk, egal von wem, ist eine Bestätigung dafür, daß Sie es wert sind. Und nur wer vom eigenen Wert überzeugt ist, kann zugleich materiell (gelb) und geistig (weiß) glücklich sein. Ihre geistigen Fähigkeiten sind unbestritten. Sie sind sensibel. Sie haben einen klaren Blick. Haben therapeutische Fähigkeiten. Sie können überdies darauf vertrauen, daß Sie geführt werden. Ob von Ihrem Schutzengel oder von Ihrer inneren Stimme oder von Gott, wie immer Sie es nennen, das ist gleich. Aber Sie haben leichte Probleme auf anderen Ebenen. Kleine, aber nervige Blockaden. Im Beruf. In finanzieller Hinsicht. Da fehlt es Ihnen an Vertrauen. An Lokkerheit. An der Fähigkeit, Dinge loszulassen, die längst nicht mehr zu Ihnen gehören. Allerdings: Dreimal Weiß ist stärker als zweimal Gelb. Und das bedeutet: Sie werden sich mit jedweder

Blockaden auseinandersetzen. Wenn es einen Problemstau gibt, dann werden Sie sich nicht schaudernd abwenden. Sondern Sie werden sich ansehen, was da in Ihrem Weg steht. Werden sich einen Ruck geben und sich damit auseinandersetzen. Offen, klar, entschlossen. Und Ihre Energie wird immer kraftvoller fließen.

EITELKEIT
UNKLARHEIT
ORDNUNG

Rot	Gelb	Weiß	Grün	Orange
–	2	2	1	–

Haben Sie gelegentlich das Gefühl, daß Ihnen jemand ausweicht? Daß jemand die Straßenseite wechselt, wenn er Sie von weitem sieht? Daß jemand sich schnell einen Schnurrbart anklebt, damit Sie ihn nicht erkennen? Nein? Das ist Ihnen nicht bewußt? Glücklicher! Wir haben auch schon mal Reißaus genommen. Wo war das noch? Na, jedenfalls wollten Sie uns irgend etwas erklären. Aber was eigentlich, das blieb unklar. Vermutlich auch Ihnen selbst. Sie haben ziemlich umständlich irgend etwas berichtet, haben sich verwirrt und trotzdem weitergeredet. Kann es sein, daß Sie uns einen Film Szene für Szene erzählt haben? Vom Ende her? Es war jedenfalls die pure Geduldsprobe. Zweimal Gelb, zweimal Weiß, das heißt nun mal: Jemand hält sich für interessant, aber die anderen teilen diese Ansicht nicht. Ganz unter uns gesagt: Sie sind interessant. Ja, Sie sind was Besonderes. Sie haben auch etwas zu sagen, nur fließt es manchmal etwas ungefiltert aus Ihnen heraus. Wenn man gerade hofft, Sie kommen jetzt zum Ende der Story, zweigen Sie prompt ab und verlieren sich auf Nebengleisen, um nie mehr zum Hauptpunkt zurückzukehren. Aber: Sie haben ein grünes Bärchen gezogen. Und das bedeutet Ordnung. Bedeutet Geradlinigkeit. Innere Ruhe. Vertrauen. Es bedeutet, daß Sie eine neue Übersicht gewinnen. Über das, was Sie wollen, und das, worauf Sie dankend verzichten. Über das, was Sie abhaken können, und das, was Sie noch zu erledigen haben. Sie bekommen eine ungewohnte Klarheit, wenn Sie mal aufräumen in Ihrem Kramladen. Wenn Sie die liegengebliebenen Sachen mal angehen. Wenn Sie all das abschließen, was Sie mal begonnen und nie zu Ende gebracht haben. Briefe genauso wie Beziehungen. Bereits wenn Sie an einer Ecke anfangen mit dem Aufräumen, merken Sie, wie sich Ihr Kopf klärt. Und alle anderen merken es auch. Wie Ihre ganze Persönlichkeit klar wird. An Ausdruck gewinnt. An Respekt. Beim Denken, beim Handeln, beim Reden. Sogar beim Schweigen.

EHRGEIZ
ILLUSION
HUMOR

Rot	Gelb	Weiß	Grün	Orange
–	2	2	–	1

Es war einmal ein Mensch, der hatte große Visionen. Und großen Ehrgeiz. Der unternahm eine phantastische Expedition. Er wollte als erster den Südpol erreichen. Er fand auch hin. Aber nicht mehr zurück. Denn als er den Südpol erreichte, das war Anfang 1911, da war ihm jemand um ein paar Wochen zuvorgekommen und hatte bereits eine Flagge gehißt. Und da war unser Held, er hieß Robert Scott, so blind vor Enttäuschung, daß er

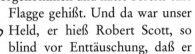

mitsamt seiner Mannschaft den Rückweg verfehlte. Seine Spur verliert sich im Schneesturm. Kommt Ihnen das bekannt vor? Na gut, Sie wollen nicht an den Südpol, höchstens ans Mittelmeer; okay, genehmigt. Aber kennen Sie das, daß Sie große Hoffnungen hegen und hochfliegende Pläne schmieden, und dann kommt irgend jemand und pikt mit einer kleinen Nadel in ihren Luftballon. Und dann bleiben davon nur so ein paar feuchte Fetzen übrig. Das kennen Sie. Sonst hätten Sie diese Kombination nicht gezogen. Sie haben anspruchsvolle Wünsche. Sie wollen bedeutend sein. Und Sie haben auch ein Recht darauf. Nur sehen Sie gelegentlich vor lauter Anspruch die Wirklichkeit nicht. Dabei haben Sie enorme Möglichkeiten! Das zeigt das orangene Bärchen, das Sie gezogen haben. Es steht für Neugier, Esprit, Kreativität. Es steht für etwas, das dem armen Scott im entscheidenden Augenblick fehlte: Humor. Es steht für die schöpferische Seite, die Sie jetzt an sich entdecken. Sie werden auch in Zukunft nicht begeistert sein, wenn vor Ihnen jemand de

Pflock in den Boden rammt. Aber Sie können nach kurzem Schreck darüber lachen. Können spielerisch damit umgehen. Und schon fällt Ihnen was Besseres ein. Es beginnt die hohe Zeit Ihrer schöpferischen Phantasie. Sie am Südpol – und es würde da entschieden lustiger zugehen!

TATENLOSIGKEIT
EHRGEIZ
INTUITION

Rot	Gelb	Weiß	Grün	Orange
–	2	1	2	–

Eines Tages spaltete sich der Himmel. Eine riesige Hand kam heraus. Und die griff sich ein kleines, blondes Mädchen namens Meryl Streep, stellte es nach Hollywood vor eine Filmkamera, und dazu sprach eine gewaltige Stimme: Jetzt bist du ein Star! So jedenfalls habe sie es sich immer vorgestellt, erzählt Meryl Streep. Irgendwann, dachte sie, wirst du entdeckt. Wurde sie aber nicht. Statt dessen entdeckte sie eines Tages die ersten Falten. Und da, endlich, beschloß sie, nicht länger zu warten. Kündigte den Büro-Job, nahm Schauspielunterricht, bewarb sich an kleinen Bühnen. Von da an ging's bergauf. Was hat das mit Ihnen zu tun? Auch Sie sind erstens begabt, haben zweitens einen gewissen Ehrgeiz, der aber nicht so recht fruchtet (zweimal Gelb), weil Sie drittens lieber hoffen und warten, statt etwas zu wagen (zweimal Grün). Mit anderen Worten, Sie laufen Gefahr, Ihre erstaunlichen Anlagen verkümmern zu lassen, statt sie zu entwickeln und zu entfalten. Deswegen haben Sie diese Bärchenkombination gezogen. Als sanften Schlag auf den Hinterkopf Dahin, wo die Intuition sitzt. Denn die erwacht jetzt. Das zeigt das weiße Bärchen. Ihre innere Stimme meldet sich. So laut, daß

Sie sie kaum überhören können. Die sagt Ihnen es ist an der Zeit, auf eigenen Füßen zu stehen. Loszugehen. Wohin? Ins Unbekannte. Sie können der Führung Ihrer inneren Stimme vertrauen. Auch wenn Sie auf die Nase fallen. Auch wenn Sie eins auf den Deckel kriegen. Wenn man Sie ablehnt. Solche Erfahrungen geben Ihnen Feedback. Die sind nur dazu da, damit Sie checken, was Ihnen gut tut und was nicht.

In welche Richtung Sie gehen sollten, und welche Sie lassen können. Das kriegen Sie nur im Trial-and-Error-Verfahren raus. Nicht durch Gedankenspiele. Sondern indem Sie aufbrechen. Schicken Sie uns gelegentlich eine Ansichtskarte!

BEGRENZUNG
SELBSTVERTRAUEN
FREUDE

Rot	Gelb	Weiß	Grün	Orange
–	2	1	1	1

Wo hatten Sie noch Ihr Geld versteckt? Im Schuh? Da ist nichts. Im Kühlschrank? Der ist leer. In der Sparbüchse? Da klappert nur ein 100-Lire-Stück. Sie können unter der Matratze nachsehen, die Wand auf hohle Stellen abklopfen, die Dielenbretter hochstemmen. Es hilft nichts. Sie sind pleite. Schon mal erlebt? Aber sicher. Denn zweimal Gelb: Das bedeutet eine Blockade. In Sachen Geld, Arbeit, Wunscherfüllung. Eine Blockade Ihrer Energie. Durch selbstauferlegte Fesseln. Wenn Sie das spüren,

zum Beispiel wenn Sie pleite sind, dann ist das ein Riesenglück. Weil Sie dann Ihre Haltung ändern werden. Natürlich wäre es bequem, wenn jetzt Ihre Erbtante ins Nirwana überwechseln würde. Wenn ein flüchtender Ganove seinen Geldkoffer

in Ihren Garten werfen würde. Oder wenn wenigstens jemand versuchen würde, Sie zu bestechen. Sie würden ja annehmen. Aber das passiert nicht. Weil das Leben so nicht funktioniert. Und wie es statt dessen funktioniert, das merken Sie gerade. Denn Sie haben zu den beiden Gelben noch eine wunderbare Dreier-Kombination gezogen. Weiß bedeutet: Sie erkennen, wie Sie sich entwickeln. Daß Niederlagen auf Ihrem Weg lediglich eine Art Seminare sind. Intensiv-Kurse, bei denen Sie Erkenntnisse sammeln. Grün heißt: Sie liften Ihr Selbstbewußtsein. Treffen aufgeschobene Entscheidungen. Regeln ungeklärte Angelegenheiten. Sind bereit, etwas zu leisten. Und dafür etwas zu verlangen. Sie spielen sich nicht mehr herunter. Und Orange: Sie erkennen daß Sie einen untrüglichen Kompaß haben, nämlich die Freude. Alles, was Ihre Freude und Ihre Kreativität steigert, ist gut für Sie. Das läßt die Energie zu Ihnen fließen. Und Geld ist nur ein Zeichen für diese Energie. Also, alle Schleusen auf.

GIER
LEICHTSINN
INTUITION

Rot	Gelb	Weiß	Grün	Orange
–	2	1	–	2

Sie sind leichtfertig, auch leichtgläubig (zweimal Orange). Und scharf aufs Geld, um nicht zu sagen gierig (zweimal Gelb). Das ist eine wunderbare Kombination. Vor allem für Leute, die Ihnen ein Supergewinnspiel andrehen wollen. Für Speku- lationen an der Börse, die mit einem Totalverlust enden. Für Erbschleicherei. Wie war das mit dem seltsamen Todesfall der reichen Witwe neulich? Hatten Sie da nicht Ihre Hand im Spiel? Und haben Sie nicht Ihrem Erbonkel einen Fön zum Geburtstag geschenkt und den neben seiner Badewanne ange- bracht? Aber zu Ihrer Überraschung lebt er noch? Das waren Sie doch! Nicht? Okay, wir glauben Ihnen mal. Trotz dieser

Flunker-Kombination. Aber so ein ganz klein bißchen boshaft sind Sie doch, oder? Sie könnten ganz gut Krimis erfinden und sich in die Seele der Übeltäter hineindenken. Man zieht nicht um- sonst diese Bärchen. Die weisen darauf hin, daß Sie erstens eine spekulative Neigung haben. Das ist die Kehrseite Ihrer spielerischen Veranlagung (zweimal Orange). Und daß Sie zweitens gern Scheuklappen tragen und gierig in eine Richtung starren. Das ist die Kehrseite Ihres Ehrgeizes (zweimal Gelb). Leute mit dieser Kombination ma- chen im allgemeinen schlechte Geschäfte. Wenn sie nicht noch ein weißes Bärchen dazuziehen. Na, und das haben Sie ja nun. Und das steht für Klarheit des Geistes, für Sensibilität, für Intuition. Es steht dafür, daß Sie endlich Ihre Begabungen entwickeln. Weil Sie auf einmal sonnenklar sehen, weshalb Sie bislang einige Fehler immer wieder gemacht haben. Weshalb Sie häufig reingefallen sind. Sie sehen, wo Ihr Ehrgeiz in die falsche Richtung gegangen ist. Weil Sie Ihre innere Stimme vernehmen. Weil Sie bereit sind, Ihrer Intuition zu folgen. Und das kann gut werden. Sehr gut sogar. Am Ende könnte es sich sogar lohnen, Ihnen einen Fön zu schenken. Baden Sie gern?

REINIGUNG
EIFER
ORDNUNG

Rot	Gelb	Weiß	Grün	Orange
–	2	–	3	–

Erfrischend! Erfreulich! Und so nützlich! Sie haben die Farben der British Cleaners Association gezogen! Der Vereinigung britischer Raumpflegerinnen und Raumpfleger! Die haben nämlich drei grüne und zwei gelbe Streifen auf dem Kittel, mit dem sie in den Räumen und Fluren herumwienern. Was wir daran so toll finden? Na, daß Sie jetzt Lust kriegen, auch mal bei uns so richtig

sauberzumachen! Liegen wir goldrichtig mit dieser Annahme? Nein? Total daneben. Hmm. Na gut. Dann sehen wir uns erst mal die symbolische Bedeutung an. Dreimal Grün, das heißt, daß für Sie eine Phase der Verläßlichkeit, der Häuslichkeit, der Ordnung beginnt. Sie können also wenigstens bei sich selbst mal aufräumen. Können Klarheit schaffen, indem Sie den ganzen liegengebliebenen Kram in die grüne Tonne stopfen. Und indem Sie das wenige, was sich zu erledigen lohnt, wirklich erledigen. Damit es vom Tisch ist. Da sind noch offene Rechnungen, angefangene Arbeiten, unbeantwortete Briefe. Und eine Beziehung ist da,

in der ein störender Rest Unklarheit rumort. Das alles könner Sie jetzt wirksam anpacken. Tun Sie's. Sie werden ein ungewohntes Freiheitsgefühl verspüren! Zweimal Gelb jedoch heißt Kann sein, daß Sie dabei ein wenig rücksichtslos werden. Daf Sie sich da reinbohren und übereifrig zu Werke gehen. Wenn Si Hausputz machen wie die britischen Scheuer-Kolonnen, ist da. okay. Wenn Sie menschliche Verhältnisse bereinigen, braucher Sie etwas mehr Fingerspitzengefühl. Aber das haben Sie ja

Wissen wir doch. Und mit dreimal Grün haben Sie auch die nötige Güte. Na bitte! Sie werden sich jetzt Freiheit und Respekt verschaffen. Obwohl es uns gereicht hätte, wenn Sie hier mal ausgefegt hätten.

EHRGEIZ
TATENLOSIGKEIT
KREATIVITÄT

Rot	Gelb	Weiß	Grün	Orange
–	2	–	2	1

Haben Sie ein Glück! Daß Sie auch noch ein orangenes Bärchen gezogen haben! Sonst wären Sie vor Ärger über dieses Orakel gelb und grün im Gesicht geworden. Denn zweimal Gelb, zweimal Grün bedeutet: Sich ärgern und trotzdem nichts tun. Heißt großen Ehrgeiz hegen, große Träume, aber immer warten, daß jemand anderes sie einem erfüllt. Aber der Trick der Leute, die ihre Träume nicht nur träumen, sondern leben, heißt: Was wagen. Nicht auf einen Anstoß von außen warten. Selbst was ändern. Den Anruf machen. Die Bewerbung schreiben. Die endlos aufgeschobene Entscheidung fällen. Das unangenehme Gespräch riskieren. Überhaupt: ein Risiko eingehen. Nicht auf Nummer Sicher bleiben. Zahllose miserable Beziehungen werden durchgeschleppt, und beide Partner leiden, weil keiner das Risiko eingehen will, allein zu sein. Weil diese Beziehung zwar verletzend ist, aber jeder weiß, woran er ist. Und vielleicht löst sich das Problem ja eines Tages ganz von selbst! Da kommt einer und holt einen raus! Essig. Da wird keiner kommen. Ob es bei Ihnen die Beziehung ist oder die Wohnung, der Job oder die Familie. Wo immer Sie kleben, Sie müssen sich selbst losreißen. Die Furcht schwindet genau in dem Maße, wie Sie ins Unbekannte gehen. Kann sein, daß Sie auf die Nase fallen. Eins auf den Deckel kriegen. Daß man Sie ablehnt. Das gehört dazu. Aber es ist nur der kleinere Teil der Erfahrungen. Und ein wichtiger Teil. Denn schmerzhafte Erfahrungen geben Feedback. Die sind dazu da, daß Sie checken, was Ihnen gut tut und was nicht. In welche Richtung Sie gehen können und welche Sie lassen sollten. Womit Sie glücklicher werden und womit nicht. Das krie gen Sie nur im Trial-and-Error-Verfahren raus. Und Sie wollen es rauskriegen. Das zeigt das orangene Bärchen. Sie haben den Kick. Sie haben geschnallt, daß es nur positive Erfahrungen gibt. Und Lernerfahrungen. Und Sie haben Lust zu lernen. Lust zu leben. Auf geht's!

EHRGEIZ
LEICHTSINN
GERADLINIGKEIT

Rot	Gelb	Weiß	Grün	Orange
–	2	–	1	2

Sagt Ihnen der Name Umberto Raimondi etwas? Oder Carmencita Gonzales? Uns auch nicht viel. Nur dies: Raimondi war Besitzer einer Marienstatue, die mehrmals im Jahr echte Tränen weinte. Pilger aus ganz Europa reisten zu ihm. Und die Spanierin Gonzales besaß ein Heiligenbild, dessen gemaltes Blut sich einmal im Jahr verflüssigte. Auch hier spendeten Gläubige Hab und Gut, um Heilung zu erfahren. Schade. Raimondi benutzte ein Kontaktlinsenmittel, um die Tränen herzustellen. Und Carmencita pikte sich in den Finger, um Blutstropfen über das Bild rinnen zu lassen. Was hat das mit Ihnen zu tun?

Na ja. Auch Sie treiben manchmal Schindluder mit Ihrer kreativen Begabung. Und Sie sind bereit, Ihrer Eitelkeit oder Ihrem Ehrgeiz die Wahrheit zu opfern. Es kommt vor, daß Sie Lügen erfinden und anschließend selbst daran glauben (zweimal Orange). Ja, daß Sie Ihre Flunkerei noch stur verteidigen (zweimal Gelb). Wir wissen nicht, ob das Ihrem Job oder Ihrer Beziehung gut bekommt. Wir wissen nur, daß sich dieser Mix aus Leichtfertigkeit und Starrsinn jetzt gerade wandelt. Sie haben ein grünes Bärchen gezogen. Das bedeutet: Sie bringen Ordnung in Ihre Verhältnisse. Sie haben keine Lust mehr, andere reinzulegen. Und selber reinzufallen. Beides gehört untrennbar zusammen. Sie haben keine Lust mehr, gegen die Wände zu rennen, die Sie selbst errichtet haben. Grün heißt: Sie gewinnen eine neue Besonnenheit. Innere Ruhe. Selbstvertrauen. Treue. Ja, Sie beginnen, sich selber treu zu werden. Statt sich zu verstellen. Deshalb können sich auch andere auf Sie verlassen. Man wird es sogar an Ihrem Körper erkennen. Sie gehen aufrechter. Sie haben einen festeren Blick. Apropos Blick: In unserem Besitz befindet sich eine steinerne Statue, die zu Ostern mit den Augen rollt. Interessiert?

LEICHTIGKEIT
ARGWOHN
KREATIVITÄT

Rot	Gelb	Weiß	Grün	Orange
–	2	–	–	3

Charly Chaplin hatte eine seltsame Angewohnheit. Bei den Dreharbeiten zu seinen Filmen mußten immer drei Orangen bereitliegen. Wozu? Zum Essen? Nein, zum Jonglieren. Sobald er müde oder melancholisch wurde, wenn er Aufmunterung und Ideen brauchte, nahm Chaplin die drei Orangen und begann zu jonglieren. Dieses heitere Farbenspiel, erzählte er später, sei seine geheime Inspirationsquelle gewesen. Nun – die Quelle seiner Einfälle wird schon in Charly selbst gewesen sein. Doch die drei Orangen haben diese Quelle zum Sprudeln gebracht. Tatsächlich ist die Farbe Orange von jeher ein Symbol der Heiterkeit und der Kreativität gewesen. Wenn Sie drei orangene Bärchen gezogen haben, werden Sie das merken. Die Sonnenenergie in Ihnen

wird angeknipst. Es beginnt eine beschwingte, spielerische, schwerelose Zeit. Eine Zeit, in der Sie Ihre Ideen schöpferisch umsetzen können. In der Sie leicht und munter auf Leute zugehen können. Aber vielleicht gönnen Sie sich so ein unbeschwertes Leben gar nicht?

Sie wünschen es sich. Aber kann es sein, daß Sie insgeheim glauben, Sie hätten es nicht verdient? Mißtrauen Sie Leuten, die allzu locker und lustig wirken? Finden Sie die verantwortungslos, weil Sie vielleicht ein bißchen neidisch sind? Wir fra-

gen das, weil Sie auch zwei gelbe Bärchen gezogen haben. Und zweimal Gelb weist auf einen geheimen Argwohn hin. Vielleicht sind Sie allzu leistungsorientiert? Oder empfinden sich als schwerfällig? Na, das hat jetzt ein Ende! Denn dreimal Orange ist stärker als zweimal Gelb. Es bleibt Ihnen gar nichts anderes übrig, als spielerisch und heiter zu werden. Sie können gar nicht anders als kreativ und kontaktfreudig sein. Wir freuen uns auf Sie. Treten Sie doch bitte als Clown, Komödiant oder Aktionskünstler auf unseren nächsten Party auf.

ILLUSION
UNSICHERHEIT
KONZENTRATION

Rot	Gelb	Weiß	Grün	Orange
–	1	4	–	–

An einem Frühlingsabend des vergangenen Jahres wurde über Süddeutschland ein Ufo gesichtet. Lautlos und blitzschnell zog es über den Himmel, doch ganz genau waren seine vier weißen Positionslichter zu sehen. Ein paar Monate später zog ein Ufo über die

mecklenburgische Küste. Deutlich erkannten Urlauber seine vier weißen Lichter. Viermal Weiß! Und nun Sie mit Ihren vier weißen Bärchen! Eine genaue Entsprechung! Was bedeutet das? Daß Sie demnächst von einem Ufo abgeholt werden? Nein. Ganz im Gegenteil. Diese beiden Ufo-Sichtungen gehörten nämlich zu jenen bedauernswerten Fällen, die sich als Täuschung erwiesen haben. Es handelte sich um schlichte Wettersatelliten. Viermal Weiß: Das bedeutet leider Täuschung. Illusion. Null Bodenhaftung. Und wenn es hier ein Ufo gibt, dann sind Sie das. Ja, Sie können froh sein, daß wir Sie überhaupt gesichtet haben. Denn Sie befinden sich gerade in einer nebeligen Phase. Sie wissen nicht, was Sie wollen. Wie Sie sich darstellen sollen. Worauf Sie sich überhaupt verlassen können. Sie sind unsicher – und deshalb empfindlich. Aber jetzt wird's angenehm. Diese Phase geht zu Ende. Sie haben nämlich ein gelbes Bärchen gezogen. Das bedeutet zwar zunächst einmal Arbeit. Bedeutet konzentrierte Aktivität. Im Job. Im Studium. Oder in einer Beziehung. Sie müssen ranklotzen. Aber indem Sie das tun, entdecken Sie das eigentliche Potential hinter Täuschungen und Irrtümern: Ihre Fähigkeit, das Leben intuitiv zu meistern. Mit Phantasie und Sensibilität, in vollkommenem Vertrauen auf Ihre innere Freiheit. Soweit sind Sie noch nicht

Das gelbe Bärchen sagt: Sie müssen was tun. Aber die Richtung stimmt. Und wenn Sie irgendwann Ihr eigenes Ufo haben, lassen Sie uns auch mal damit fliegen, okay?

HELLSICHTIGKEIT
FREUDE
INTUITION

Rot	Gelb	Weiß	Grün	Orange
–	1	3	1	–

Sie sind hellsichtig. Und nicht nur ein bißchen. Sie haben das Talent zum Wahrsagen! Sie erleben bestimmt gelegentlich Situationen wie diese: Sie haben an jemanden gedacht, und schon klingelt das Telefon – er ist dran. Oder Sie haben eine Idee, und fast im selben Augenblick spricht jemand anderes sie aus. Sie haben eine bestimmte Situation vor Augen, und wenig später ereignet sie sich genauso. Sie gehen die Straße entlang und denken an jemanden, den Sie lange nicht gesehen haben; schon biegt er um die Ecke. Kennen Sie das? Das kennen Sie. Sie mit Ihren drei weißen Bärchen. Das sind nämlich kleine Fälle von Hellsichtigkeit. Kleine Fälle, die zeigen, daß Großes in Ihnen steckt. Wie dieses Große zum Vorschein kommt? Na ja, leider nicht von selbst. Leider nur durch Übung. Aber Sie haben ja das gelbe Bärchen des Ehrgeizes und der Arbeitslust, und Sie haben das grüne Bärchen der Geordnetheit und der Kontinuität. Das sind optimale Voraussetzungen, um Ihr Talent zu entwickeln. Regelmäßig und systematisch. Etwa so. Wenn das nächstemal das Telefon läutet, fragen Sie: Wer ruft an? und geben sich eine Antwort. Vielleicht legen Sie die Hand auf das Gerät, dann rückt Ihnen der Anrufer näher. Und erst dann heben Sie den Hörer ab. Ebenso können Sie auf dem Weg in den Job voraussagen, welchen Pullover die Kollegin heute (mal wieder) tragen wird. Oder wem Sie beim Einkaufen als erstes begegnen. Bereits solche spielerischen Übungen schärfen Ihre innere Wahrnehmung. Wenn Sie mit einem Partner üben wollen, können Sie sich vornehmen, mit ihm oder ihr einen Traum zu teilen. Die Verabredung vor dem Einschlafen genügt. Nach ein paar Nächten

Übung klappt es. So oder ähnlich trainieren Sie eine Begabung, die Sie fast allen Ihrer Mitmenschen voraushaben: Ihre Hellsichtigkeit. Ihr Vertrauen darein, daß Sie geführt werden. Ihre Intuition, die schließlich den Wert alles Bücherwissens übersteigt. Beneidenswert. Wir gratulieren.

KLARHEIT
INTUITION
PERSÖNLICHKEIT

Rot	Gelb	Weiß	Grün	Orange
–	1	3	–	1

Wenn Sie jetzt oder demnächst mit ein paar Freunden zusammen sind, probieren Sie doch mal folgendes Spiel. Es nennt sich Telepathisches Zeichnen. Es wird zu zweit geübt, zunächst Rücken an Rücken, später von Ecke zu Ecke quer durch den Raum. Ein Freund zeichnet einen einfachen Gegenstand (Elefant, Stern, Männchen) auf ein Blatt Papier. Dann preßt er dieses Blatt auf seine Stirn und stellt sich vor, das Bild als Gedankenstrahl durch den Punkt zwischen seinen Augenbrauen auszusenden. Sie versuchen, das gesendete Bild zu erkennen und zeichnen es nieder. Dann wird verglichen. Sie werden sehen: Mit wachsender Übung wird die Ähnlichkeit der Bilder immer größer. Vor allem, wenn Sie die Bilder empfangen. Denn – die drei weißen Bärchen zeigen es – Sie haben die Begabung der Hellsichtigkeit. Sie nehmen mehr wahr als andere. Spüren Trends früher. Ahnen Dinge, die Sie eigentlich nicht wissen können. Und weil Sie das gelbe Bärchen der Arbeitslust gezogen haben und das orangene der Kreativität, sind Sie berufen, aus dieser Begabung etwas zu machen. Wie? Zum Beispiel, indem Sie den Punkt zwischen Ihren Augenbrauen aktivieren, das sogenannte dritte Auge. In Japan lernen das neuerdings Manager, damit Sie ihre Intuition entwickeln. Und zwar, indem sie sich zehn Minuten lang in meditativer Sitzhaltung auf diesen Punkt konzentrieren oder indem sie ein paarmal in tiefer Tonlage summen: Mmm und Oooouuuu, bis jener Punkt kribbelt. Wenn Sie täglich nur ein paar Minuten auf diese schlichten Übungen verwenden, öffnen Sie sich für die Bilder der Zukunft und entwickeln Ihre Hellsichtigkeit. Keine Lust? Macht nichts. Die Klarheit Ihrer Wahr nehmung entwickelt sich auch so. Ihre Intuition wird ohnehin immer stärker. Und mit Ihrem Witz und Ihrem Ehrgeiz werden Sie daraus eine Menge machen. Das zeigen die Bärchen. Sie werden jetzt wahrhaftig interessant. Eine richtige Persönlichkeit werden Sie. Respekt!

OPFERHALTUNG
BEQUEMLICHKEIT
VERANTWORTUNG

Rot	Gelb	Weiß	Grün	Orange
–	1	2	2	–

Na, was haben Sie in letzter Zeit geträumt? Sie brauchen es gar nicht zu sagen. Wir wissen es. Bei dieser Bärchen-Kombination. Sie haben geträumt, daß Sie hilflos sind. Machtlos. Verloren. Sie sagen

etwas, niemand glaubt Ihnen. Sie schwitzen in einer Prüfung und wissen nichts. Stehen auf einer Party und merken: Ich bin nackt! Wollen weg und kommen nicht von der Stelle. Müssen zum Zug und erreichen ihn nicht. Sie werden verfolgt, und versuchen vergeblich zu fliehen. Schreien, niemand hört Sie. Von dieser Art sind zur Zeit Ihre Träume. Von dieser Art ist zur Zeit Ihr Leben. Sie fühlen sich ausgeliefert irgendeiner Situation, irgendeiner Person. Eltern. Lehrern. Freunden. Feinden. Dem Schicksal. Der Gesellschaft. Den Chef. Sie wollen sich nicht mehr als Opfer fühlen. Sie wollen endlich die Chose selbst in die Hand nehmen. Aber Sie wissen nicht, wie. Noch nicht. Doch Sie haben ein gelbes Bärchen gezogen. Und das zeigt, daß Ihre Kurve aufwärts weist. Nicht von allein, Sie müssen schon ein bißchen was tun. Denn daß Sie sich als Opfer fühlen, liegt an Ihrer passiven Haltung. Sie haben die Neigung, die Verantwortung anderen zuzurechnen. Zum Beispiel, wenn es nicht vorangeht, wenn Sie frustriert sind, wenn Sie in der Patsche sitzen. Die anderen sind schuld! Nein, Sie intelligenter Mensch, niemand anders als Sie allein! Sie haben die Verantwortung für Ihr Leben, nur Sie! Den anderen ist e ziemlich egal! Aber – das gelbe Bärchen zeigt es – Sie sind jetzt bereit, die Verantwortung für sich ganz zu übernehmen. Selbständig zu denken. Selbständig zu handeln. Fehler einzugeste hen und nicht zu wiederholen. Genügend Scharfblick dafür haben Sie, an Verstand mangelt es Ihnen nicht, auch nicht an Sensibilität. Nein, wahrhaftig nicht. Sie brauchen nur einen Tritt in den Hintern, den wir Ihnen hiermit freundlichst versetzen. Los, Sie Dröhnbüddel!

SELBSTVERLEUGNUNG
ANREGUNG
AUFBRUCH

Rot	Gelb	Weiß	Grün	Orange
−	1	2	1	1

Eigentlich eine hübsche Kombination. Nur die zwei weißen Bärchen, die geben zu denken. Zweimal weiß bedeutet nämlich: Sie sind nicht ganz ehrlich mit sich selbst. Sie trauen sich nicht. Und andere nutzen das aus. Da meldet sich zum Beispiel ein entfernter Bekannter bei Ihnen. Der ist neuerdings in der Versicherungsbranche tätig. Und möchte Sie gern mal besuchen. Sie ahnen schon weshalb. Trotzdem sagen Sie zu. Und unterschreiben womöglich noch eine Versicherungspolice, die Sie gar nicht brauchen. Warum wohl? Weil Sie ihm einen Gefallen tun wollen? Oder Sie fahren zu Ihren Eltern, obwohl Sie gar keine Lust haben. Und dann sind Sie genervt. Aber Sie haben das Gefühl, Sie müßten das tun. Warum? Weil Sie sonst kein guter Mensch wären? Nein, weil Sie lieber sich selbst verleugnen als ehrlich zu sein. Weil ehrlich sein auch bedeutet, Ablehnung zu riskieren. Da reden Sie sich lieber ein, daß der fremde Wunsch, den Sie erfüllen, auch Ihr eigener Wunsch ist. Aber jetzt haben Sie das gelbe Bärchen des

Ehrgeizes gezogen und das grüne Bärchen des Selbstvertrauens und gar noch das orangene Bärchen der Leichtigkeit und der Kreativität. Mit anderen Worten: Sie fangen endlich an, Ihre eigenen Anlagen und Ihre eigenen Fähigkeiten zu entfalten, statt diese Talente herunterzuspielen. Sie zeigen sich selbst, statt sich aus Gefälligkeit kleinzumachen und zu verstecken. Eine sprudelnde Erfrischungskur beginnt. Mit belebenden Neuigkeiten. Mit knisternden Anregungen. Und all das wird nicht nur Sie, es wird auch andere erquicken. Sie merken es jetzt schon. Und, sind Sie gespannt? Sind Sie neugierig und wach? Oder möchten Sie vorher lieber schnell noch eine Versicherung abschließen? Da hätten wir nämlich was für Sie, was enorm Günstiges. Wollen Sie unterschreiben? Nur so aus Gefälligkeit? Oder kommen wir bereits zu spät?

OBERFLÄCHLICHKEIT
TÄUSCHUNG
EHRGEIZ

Rot	Gelb	Weiß	Grün	Orange
–	1	2	–	2

Sie unterschätzen Ihre Stärken. Und breiten statt dessen Ihre Schwächen aus. Beispiel? Na, Sie werfen zum Beispiel mit Namen bedeutender Leute und bewegender Ereignisse um sich. Wohl weil Sie betonen wollen, daß Sie jeden kennen und überall dabei sind. Das haben wir jedenfalls mal so bei Ihnen erlebt. Sie fragen wo? Sehen Sie! Sie erinnern sich noch nicht mal an uns, sosehr waren Sie mit sich selbst beschäftigt. Sie haben sich einfach ins Gespräch gemischt und sind dann klebengeblieben.

Weil wir höflich sein wollten, haben wir Sie nach irgendeiner Kleinigkeit gefragt. Leider. Denn schon haben Sie sich in die Brust geworfen und uns mit wichtiger Miene belehrt. Sie haben beim Urknall begonnen, haben jede Menge Zitate heruntergebetet und noch die banalsten Selbstverständlichkeiten mit großer Geste ausgebreitet. Also, Sie sind ja liebenswert. Doch. Sind Sie. Wirklich. Und gerade deshalb brauchen Sie niemanden mit Schnörkeln zu beeindrucken, die gar nicht zu Ihnen gehören. Zweimal Weiß, zweimal Orange bedeutet: Sie stellen sich als jemand anderes dar als Sie sind. Weil Sie glauben,

daß das, was Sie sind, nicht genügt. Aber es genügt vollkommen. Es ist mehr als genug. Sie haben die wahre Strahlkraft Ihrer Persönlichkeit ja noch nicht mal annäherungsweise zum Ausdruck gebracht. Das gelbe Bärchen zeigt: Sie beginnen jetzt damit. Weil Ihr Ehrgeiz gekitzelt ist. Gelb bedeutet: Sie wollen mehr. Und Sie verdienen auch mehr. Im doppelten Sinn des Wortes. Und Sie erreichen mehr, weil Sie sich selber ins Spiel bringen, statt etwas anderes vorzutäuschen. Sie beginnen gerade, all den Ballast abzuwerfen, der nicht zu Ihnen gehört. Sie fangen gerade an, die Masken beiseite zu legen, die Sie sich so lange aufgesetzt haben. Und darunter sehen Sie gut aus, richtig gut.

Rot	Gelb	Weiß	Grün	Orange
–	1	1	3	–

Komisch, so kennt man Sie gar nicht. So arbeitsam, so zuverlässig, so klar. Geradezu heilsam in Ihrer Ausstrahlung! Aber die Bärchen-Kombination läßt keine Zweifel zu: Sie sind verdammt gut drauf. Und Sie können jetzt eine Menge bewegen. Ihre drei grünen Knautschtierchen sind natürlich am auffälligsten. Die besagen zunächst einmal, daß für Sie eine Phase der Verläßlichkeit und der Ordnung beginnt. Das ist ja schon mal was. Sie können jetzt spielend Klarheit schaffen, indem Sie Ihren ganzen liegengebliebenen Kram in die grüne Tonne stopfen. Und indem Sie das wenige, das sich zu erledigen lohnt, wirklich erledigen. Damit es vom Tisch ist. Da sind noch offene Rechnungen, angefangene Arbeiten, unbeantwortete Briefe. Und eine Beziehung ist da, in der ein störender Rest Unklarheit rumort. Das alles können Sie jetzt wirksam anpacken. Tun Sie's. Sie werden nicht nur ein ungewohntes Freiheitsgefühl verspüren. Sie verhelfen damit auch jener Begabung zum Durchbruch, die schon allzu lange in Ihnen schlummert: Ihren heilenden Fähigkeiten. Sie haben nicht nur ein gutes Körpergefühl. Sie spüren, wo Verspannungen sitzen, wo sich etwas staut, wo Verkrampfungen gelöst werden müssen, wo Energie in Fluß kommen soll. Und Sie können zuhören, wenn jemand nicht weiter weiß, können erspüren, was er oder sie eigentlich will. Können klärende Fragen stellen. Das gelbe Bärchen besagt, daß Sie daraus sogar einen einträglichen Beruf machen können. Und das Weiße, daß Sie sich dabei felsenfest auf Ihre Intuition verlassen können. Überdies können Sie stets Kraft aus der Natur schöpfen. Anderen gibt ein Spaziergang nichts. Sie aber bekommen Energie von Bergen, Bäumen, Flüssen, sogar aus dem Vogelgesang. Und wo immer Sie sind, können Sie sich erden. Können sich vorstellen, daß durch Ihre Füße Energie aus der Erde fließt. Andere versuchen das vergeblich. Bei Ihnen klappt es. Was, in drei Bärchens Namen, klappt eigentlich nicht bei Ihnen?

NACHGIEBIGKEIT
KLARHEIT
CHARME

Rot	Gelb	Weiß	Grün	Orange
–	1	1	2	1

Zweimal Grün: Das bedeutet Tatenlosigkeit. Bedeutet eine Nachgiebigkeit, über die Sie selbst sich ärgern. Sagen wir, Ihre zweitbeste Freundin kommt zu Besuch, diejenige, die immer an Ihren Kleiderschrank geht und die Klamotten durchstöbert. Beim neuesten Teil ruft sie aus: Toll, du, kann ich das mal mitnehmen, ich habe noch nichts für die Fete übermorgen?! Und Sie antworten hastig: Oh, das ist schlecht, schade, ausgerechnet übermorgen brauche ich es selbst! Aber da schüttelt Ihre Freundin schon lachend den Kopf, weil sie sich im Datum geirrt hat: Ach, nein, die Fete ist ja morgen, morgen ist ja Donnerstag, also – kann ich das Teil morgen haben, du brauchst es ja erst übermorgen?! Ächz. Was sollen Sie machen? Ist ja immerhin Ihre Freundin. Sie kennen sie schon ziemlich lange. Dieselbe Situation kann sich auch mit Ihrem Freund ergeben, der für einen kleinen Transport Ihr Auto haben möchte. Sie wollen es ihm eigentlich nicht geben, aber Sie möchten ihn nicht vor den Kopf stoßen. Vor allem wollen Sie nicht kleinlich erscheinen. Sie denken: Vielleicht gibt sich das ja mal von selbst. Aber das tut es nicht. Und doch werden Sie diese Schwäche jetzt überwinden. Denn Sie haben eine wunderbare Kombination gezogen. Gelb bedeutet: Sie sind jetzt in der Lage, klare Entscheidungen zu fällen. Grenzen zu ziehen, wo Sie Grenzen brauchen. Weiß heißt: Sie werden sich dabei auf Ihre Intuition verlassen können. Ihre innere Stimme war noch nie so deutlich zu vernehmen. Und Orange: Sie werden das alles auch noch auf heitere und charmante Weise tun können. Von jetzt an: Sie werden keine faulen Kompromisse mehr eingehen. Nur wenn wir Ihr Auto ausleihen wollen, okay?

188

IGNORANZ
AUSEINANDERSETZUNG
AUFSTIEG

Rot	Gelb	Weiß	Grün	Orange
—	1	1	1	2

Sie haben das weiße Bärchen der Klarheit und der Intuition gezogen, dazu das grüne der Harmonie und des Selbstvertrauens, schließlich das gelbe der erfolgreichen Arbeit. Das ist gut, das ist beinahe optimal. Und dennoch kann Ihnen etwas dazwischenfahren. Und das liegt an Ihrer Unachtsamkeit. An dem Leichtsinn, mit dem Sie über Signale zum Handeln hinwegsehen. An der Selbstzufriedenheit, mit der Sie das Feedback des Schicksals ignorieren. Das zeigen die beiden orangenen Bärchen. Sie ahnen es ja: Unangenehme Ereignisse sind nicht dazu da, daß Sie sich ärgern und warten, bis sie vorübergehen. Sondern sie sind eine Aufforderung, etwas zu ändern. Und je länger Sie diese Änderung hinauszögern, desto schwieriger fällt sie. Im Grunde wissen Sie längst, daß das, was Ihnen außen widerfährt, auch in Ihnen selbst wohnt. Daß die Umstände, unter denen Sie leben, die Beziehungen, die Ereignisse, die scheinbaren Zufälle immer Widerspiegelungen Ihres Innenlebens sind. Was Ihnen außen auffällt, was Sie loben, was Sie tadeln, wovor Sie Angst haben, was Sie ablehnen – all das macht deutlich, wie es in Ihnen selbst aussieht. Sie erfahren immer nur die Wirklichkeit, die Ihrer eigenen Innenwelt entspricht. Und wenn Sie an der Wirklichkeit etwas ändern wollen, müssen Sie bei sich selbst anfangen. Mit Ihrer intuitiven Begabung haben Sie das insgeheim längst erkannt. Und trotzdem neigen Sie dazu, sich immer so durchzumogeln. Was dazu führt, daß Ihre besten Talente, Ihre enorme Kreativität blockiert bleiben. Entweder das bleibt so, bis Sie sich ziemlich schmerzhaft den Kopf stoßen. Oder Sie fangen jetzt schon mal an, sich mit Ihren seelischen Problemzonen auseinanderzusetzen. Schlimm sind die nicht. Überhaupt nicht. Nur wuchern die wie Dornengestrüpp vor dem Palast Ihrer glänzenden Möglichkeiten. Und lediglich Ihre Neider freuen sich, wenn Sie sich nie an dieses Gestrüpp heranwagen. Ran! sagen die Bärchen. Ziehen Sie endlich ein in Ihren Palast!

KREATIVITÄT
UNRUHE
ERFOLG

Rot	Gelb	Weiß	Grün	Orange
–	1	1	–	3

Essen Sie gern ganze Wildschweine? Und hauen anschließend einfältigen Römern was auf die Nase? Dann sind Sie hier falsch. Dann hätten Sie vor zweitausend Jahren in Gallien leben sollen. In einem kleinen widerspenstigen Dorf. Unter dem Namen Idefix. Wie bitte? Stimmt vorn und hinten nicht? Moment! Erst mal zuhören! Die Bärchen-Kombination, die Sie aus der Tüte geholt haben, trägt die Lieblingsfarben von Uderzo. Und das war der Erfinder von Asterix und Obelix. Kennen Sie doch! Na, sehen Sie. Und dieser Uderzo mochte exakt dieses strahlende, helle Farbenspiel, das Sie gezogen haben. Es inspirierte ihn zu dem satirischen Witz, den er für die Stories seiner Helden brauchte. Und Sie? Sie haben diesen Witz! Daß Sie diese Kombination gegriffen haben, heißt nichts anderes als: Sie werden inspiriert (weiß). Sie sind originell. Ironisch. Erfinderisch (orange). Und biegen gerade auf die Zielgerade Richtung Erfolg ein (gelb). Sie sind drauf und dran, Ihre geistreiche Begabung zu Gold zu machen. Gut, was? Allerdings: Sie sind auch ein bißchen flatterhaft. Diese Bärchen-Verbindung ist nicht gerade das Inbild ehelicher Treue. Aber bei kreativen Leuten wie Ihnen ist das manchmal so. Die holen sich ihre Anregungen von überall. Stromern so herum, lassen sich hier begeistern und dort antörnen und filtern daraus kiloweise Ideen. Diese Ideen nicht einfach in die Luft zu blasen, sondern was Handfestes draus zu machen, eben wie Uderzo, das ist jetzt Ihre Aufgabe. Es sieht gut aus. Man wartet auf Sie. Der Weg ist geebnet. Ja, und wenn Sie trotzdem nichts machen aus Ihren großen Ideen? Dann können Sie immer noch den kleinen Idefix spielen. Auf unserer nächsten Fete zum Beispiel. Die Begabung haben Sie. Und wir fänden das total süß.

TRÄGHEIT
STAGNATION
VERHEISSUNG

Rot	Gelb	Weiß	Grün	Orange
–	1	–	4	–

Sie kennen ja das Märchen vom Froschkönig. Da verliert eine Prinzessin ihren goldenen Ball. Das gute Stück plumpst in einen Brunnen, der dick mit Entengrütze überwuchert ist. Und ein Frosch muß dann nach dem Ball tauchen. Das ist ein Symbol für Ihre Situa-

tion. Sie denken, Sie sind die Prinzessin? Nein. Der Frosch? Auch nicht. Der goldene Ball? Vergessen Sie's. Nein, Sie sind die Entengrütze. Entengrütze, das sind so grüne Algen, die mit Vorliebe Gewässer überdecken, in denen sich nichts bewegt. Bei Ihnen bewegt sich nämlich nichts.

Vier grüne Bärchen bedeuten: Stillstand. Es geht nicht vorwärts bei Ihnen. Noch nicht mal rückwärts. Sie befinden sich in einem Zustand der Stagnation. Ihr Glück, daß Sie ein gelbes Bärchen gezogen haben. Das bedeutet: Das Gegenmittel kündigt sich an. Es kommt Bewegung in

Ihren Sumpf. Die goldene Kugel rührt Ihre Grütze auf. Wie bitte? Sie wollen uns einreden, Sie seien gar nicht tatenlos? Sie machen doch alles mögliche? Sie seien durchaus aktiv? Na, scheinbar vielleicht. Aber innerlich gähnt die Leere eines öden Wartesaals. Da ist nichts los. Was Sie so an Aktivität abfackeln, das sind allenfalls Ablenkungsmanöver. Nein, bei Ihnen war Langeweile angesagt. Bisher. Aber jetzt kommt eine neue Farbe in Ihre grüne Dämmerung. Gelb, das bedeutet: Der Ehrgeiz kitzelt Sie. Die Aussicht auf goldene Dukaten bringt Sie auf Trab. Es könnte sogar sein, daß Sie Arbeitslust verspüren. Und ein bißchen was tun, müssen Sie auch. Sie haben nämlich nur ein gelbes Bärchen gezogen, und das heißt: Ganz von allein werden Geld und Ruhm nicht auf Sie herabregnen. Sie müssen selbst nach der goldenen Kugel tauchen. Aber bei den verheißungsvollen Angeboten, die sich demnächst auftun, werden Sie schwerlich in der Grütze hängenbleiben!

KREATIVITÄT
WOHLSTAND
HEILUNG

Rot	Gelb	Weiß	Grün	Orange
–	1	–	3	1

Sie sind kreativ? Sie bekommen Geld dafür? Und Sie verhelfen mit Ihrer Arbeit obendrein noch anderen Menschen zu Klarheit und erleuchtenden Einsichten? Das ist ja fast schon zuviel des Guten! Aber genau das sagt Ihre Farb-Kombination. Komisch. Wo bleiben denn Ihre boshaften Eigenschaften? Die Bärchen sagen nichts darüber. Na, gönnen wir es Ihnen. Also dreimal Grün: Sie können jetzt spielend Klarheit schaffen. Und zwar, indem Sie Ihren ganzen liegengebliebenen Kram in die Bio-Tonne stopfen. Und indem Sie das wenige, das sich zu erledigen lohnt, wirklich erledigen. Damit es vom Tisch ist. Da sind noch offene Rechnungen, angefangene Arbeiten, unbeantwortete Briefe. Und eine Beziehung, in der ein störender Rest Unklarheit rumort. Das alles können Sie jetzt anpacken. Tun Sie's. Sie werden nicht nur ein ungewohntes Freiheitsgefühl verspüren. Sie verhelfen damit auch jener Begabung zum Durchbruch, die schon lange in Ihnen schlummert: Ihren heilenden Fähigkeiten. Sie haben nicht nur ein gutes Körpergefühl. Sie fühlen, wo Verspannungen sitzen, wo Verkrampfungen gelöst werden müssen, wo Energie in Fluß kommen soll. Und Sie können zuhören, wenn jemand nicht weiter weiß, können erspüren, was er oder sie eigentlich will. Können klärende Fragen stellen. Das orangene Bärchen besagt, daß Sie das alles kreativ verwerten können. Als Heiler. Als Medienstar. Als Partner. Oder als Kind oder Elternteil. Und als Künstler. Indem Sie malen, komponieren, schreiben. Egal, was Sie machen: Von Ihnen geht eine Kraft aus, die Hektikern Ruhe geben kann, die Chaoten Klarheit verschafft und Orientierungslosen die Richtung zeigt. Und daß

Sie damit – worauf das gelbe Bärchen hinweist – auch noch Geld verdienen, versteht sich ja fast schon von selbst. Beneidenswert. Vergessen Sie bitte Ihre Förderer und Wohltäter nicht! Hallo! Hier sind wir!

PASSIVITÄT
NACHGIEBIGKEIT
ENTSCHEIDUNG

Rot	Gelb	Weiß	Grün	Orange
–	1	–	2	2

Es klingelt. Schreck. Sie ahnen, wer draußen ist. Diese Person, Freund oder Freundin, die Sie vor ein paar Tagen zufällig getroffen haben. Und die angedroht hat, sie werde vorbeikommen. Leider hatten Sie nicht den Mut abzulehnen. Und nun steht sie vor der Tür. Sie verhalten sich still. Doch sie klingelt, bis ihr geöffnet wird. Und dann bleibt sie. Lange. Sehr lange. Und erzählt. Lauter uninteressantes Zeug, aber in aller Ausführlichkeit. Ab und zu geben Sie dezente Hinweise, daß sie allmählich wieder gehen könnte. Doch solche Hinweise versteht diese Person nicht. Statt dessen ißt sie die Kekse auf, die Sie nicht rechtzeitig versteckt haben. Schon mal erlebt? Oder so ähnlich? Und schweigend gelitten und nichts gemacht? Diese Situation ist typisch für reizende Leute wie Sie, die solche Bärchen zie-hen. Da mischt sich nämlich die Neigung, sich durchzumogeln (zweimal Orange), mit der Hoffnung, jede unangenehme Situation werde von selbst vorübergehen (zweimal Grün). Geht sie auch. Nur, zwei Wochen danach ist sie wieder da. Genauso oder ähnlich. Und einen Monat später abermals. Weil diese Situation – jemand nervt Sie und nutzt Sie aus – sich wiederholt, bis Sie lernen, eine Grenze zu setzen. Das ist Ihre Aufgabe jetzt. Deswegen haben Sie diese Kombination gezo-gen. Als Aufforderung. Als Signal der Veränderung. Denn Sie haben auch ein gelbes Bärchen aus der Tüte gefischt. Und das heißt: Sie sind zu ehrgeizig, um sich von anderen runterziehen zu lassen. Sie haben noch was Besseres vor. Deshalb werden Sie von jetzt an Nein sagen, wenn jemand Unwillkommenes Sie besuchen will. Wenn jemand Sie zu überreden versucht. Wenn jemand Sie ausnutzt. Nein, werden Sie sagen, das mache ich nicht. Punkt. Nur wenn wir anrufen, dann, bitte, werden Sie dann noch einmal schwach?

Rot	Gelb	Weiß	Grün	Orange
–	1	–	1	3

Wußten Sie, daß der Komponist Giuseppe Verdi ein Altersheim gegründet hat? Nur für Künstler? Keine Sorge. Sie sollen da nicht hin. Höchstens besuchsweise. Weil diese große Villa genau in den Farben

gestrichen ist, die Sie gezogen haben. Orange dominiert. Orange, meinte Verdi, macht heiter, neugierig, optimistisch. Dazu ein Anteil Grün. Diese Farbe, sprach der Komponist, fördert Vertrauen und Harmonie. Und schließlich ein Teil helles, fast goldenes Gelb. Die Farbe des Glanzes, den jeder Künstler braucht. Was heißt das wohl? Daß Sie ein Künstler sind? Na ja, jedenfalls haben Sie das Zeug dazu. Verdi hat, umgeben von diesen Farben, nicht nur jede Menge Einfälle gehabt (orange), er hat sie auch verläßlich in Werke umgesetzt (grün), und – das wird Sie besonders

interessieren – er hat mit diesen Werken reichlich Kohle gemacht (gelb). Genau das wollen Sie auch! Sie sind schöpferisch begabt. Wißbegierig. Reiselustig. Freuen sich an der Vielfalt des Lebens. Doch Sie sind deshalb nicht flatterhaft. Sie haben einen guten Teil Ernsthaftigkeit. Geradlinigkeit. Stabilität. Und dazu noch ein Händchen fürs Geld. Sie brauchen also keine Opern zu komponieren. Wir bitten Sie sogar ausdrücklich, das nicht zu tun. Aber Sie können malen, schreiben, kochen, Teppiche knüpfen, Topflappen stricken, Bösewichte spielen, Wände besprayen. Jede Art schöpferischer Tätigkeit geht Ihnen jetzt leichter von der Hand als je zuvor. Und was besonders angenehm ist: Auch andere wissen Ihre Begabung zu würdigen. Sie sind kein unverstandener Eigenbrötler. Man schätzt sie. Man dankt Ihnen. Man will einen Groschen in Ihren Hut werfen oder einen Knopf in Ihre Sparbüchse stecken. Und falls Sie mit Kunst überhaupt nichts im Sinn haben: Nutzen Sie Ihre heitere Gestaltungskraft fürs Leben. Sie haben echt was los.

SCHWINDELEI
KREATIVITÄT
SELBSTACHTUNG

Rot	Gelb	Weiß	Grün	Orange
–	1	–	–	4

Oh, oh, viermal Orange. Die Kombination der Flunkerer! Der Schwindler! Vier orangene Streifen zieren den Wagen des Bluff-Senders VIP-TV. Das ist was nach Ihrer Kragenweite. Da hat ein Mensch einen ausgemusterten U-Wagen erworben und einfach das Wort VIP-TV draufgepinselt. Dann hat er Annoncen aufgegeben, Motto: Möchten Sie wie ein Star behandelt werden? Der angesehenste Bürger Ihres Ortes sein? Soll man Sie in Läden, bei Doktoren und Handwerkern mit Hochachtung und Rabatt bedienen? – Bei interessierten Kunden (und für tausend Mark) parkt dieser Mensch nun seinen VIP-TV-Wagen vor dem Haus. Er schultert eine leere Videokamera, nimmt ein altes Mikrofon in die Hand und schreitet die Stufen zur Haustür hinauf. Meist bewegen sich dann schon die Gardinen der Nachbarn. Nachdem er mit dem Kunden anderthalb Stunden abgesessen hat, geht er wieder. Und bei seiner Abfahrt ist in respektvoller Entfernung bereits der halbe Ort versammelt. Alle glauben, da sei jemand interviewt worden. Die Anwesenheit des TV-Wagens hat genügt: Der Kunde gilt von nun als wichtig und bedeutend. – Wie finden Sie das? Zugegeben, eine schlaue Geschäftsidee. Aber Schwindel ist doch auch dabei. Und das ist bei Ihnen ähnlich. Sie haben gute Einfälle. Sind kreativ. Nur nutzen Sie Ihre Kreativität gern dazu, andere übers Ohr zu hauen. Sie wollen zu Geld und Glück gelangen, indem Sie die Wahrheit zu ihren Gunsten verbiegen. Doch jetzt haben Sie noch ein gelbes Bärchen gezogen, und das bedeutet: Sie haben langsam kapiert, daß Sie mit jeder Schwindelei nichts gewinnen, sondern etwas verlieren. Nämlich jedesmal ein Stück von Ihrer Selbstachtung.

Und daß Sie mit Ihrer enormen Kreativität viel mehr anfangen können. Was Sie von jetzt ab auch tun. Sie werden Sachen machen, bei denen Sie nicht nur mit dem Kopf, sondern auch mit dem Herzen dabei sind. Hundertprozentig. Und das bringt Ihnen dann wirklich Geld und Glück.

KLARHEIT
INNERES WISSEN
GEISTIGE FÜHRUNG

Rot	Gelb	Weiß	Grün	Orange
–	–	5	–	–

Entweder Sie haben geschummelt. Oder es wird Ihnen bald ziemlich gut gehen. Wer von fünf weißen Federn träumt, ist nach dem Traumbuch der Sioux-Indianer zum Seher geboren. Wer fünf weiße Pferde sieht, dem winkt nach alter chinesischer Weisheit die Erleuchtung. Und wem fünf weiße Wölkchen aus dem Schornstein des Vatikan steigen, der ist zum Papst gewählt. Unter uns gesagt: Es ist unwahrscheinlich, daß Sie in nächster Zeit zum Papst gewählt werden oder zur Päpstin. Aber es ist möglich. Denn wer fünf weiße Bärchen zieht, der ist begabt zu geistiger Führung. Der hat eine ungewöhnliche Intuition. Der hat den Durchblick – oder wird den Durchblick jedenfalls binnen kurzem erlangen. Denn Menschen mit fünf weißen Bärchen haben nach innen den Zugang zur Quelle der Weisheit. Und nach außen den sechsten Sinn. Falls Sie es bislang nicht glaubten, werden Sie es demnächst überdeutlich merken: Sie ahnen mehr, sehen mehr, hören, spüren, fühlen mehr als andere. Sie sind hellsichtig. Sie sind medial begabt. Vielleicht können Sie sogar zaubern? So mit weißer Magie? Sie verfügen jedenfalls über eine geistige Energie, nach der viele sich sehnen, und die nur wenige erreichen. Nun brauchen Sie eigentlich nur noch was daraus zu machen. Kleiner Tip, bevor Sie sich als Medium oder Wahrsager niederlassen: Erst mal mit Freunden üben. Und bevor Sie als Guru Anhänger sammeln, nutzen Sie die wachsende Klarheit, um erst mal Ordnung in Ihre eigenen Angelegenheit zu bringen. Wenn Sie das hinter sich haben, steht Ihrem Aufstieg in den Olymp der Götter kaum noch etwas im Wege. Höchstens wir, die wir Sie untertänigst bitten, uns als Schüler zu akzeptieren. Damit wir auch auf den richtigen Weg kommen. Und wenn wir richtig gut gelaunt sind, werden wir Sie sogar mit Meister anreden und Ihnen die Füße küssen. Wie finden Sie das? Etwas übertrieben? Ist es auch. Aber die Richtung stimmt.

TÄUSCHUNG
UNSICHERHEIT
VERTRAUEN

Rot	Gelb	Weiß	Grün	Orange
–	–	4	1	–

Kennen Sie die Geschichte des Fallschirmspringers Gabriel Antunes? Der war so einer wie Sie. Der hatte immer Marshmallows bei sich. In jeder Tasche einen. Als Glücksbringer. Klebrig, aber wahr. Eines Tages saß er im Flugzeug und merkte: Er hatte seine vier Marshmallows vergessen! Da sah Gabriel seine treue Mutter über das Rollfeld eilen. Ja, sie brachte ihm seine vier weißen Knautschis! Beruhigt hob er ab. Und beruhigt sprang er aus dem Flugzeug. Doch an diesem Tag hatte er Pech. Sein Fallschirm öffnete sich nicht. Wie ein Stein sauste Gabriel abwärts. Mit vier weißen Glücksbringern in seinen Taschen. Tja. Sorry. Viermal weiß. Was bedeutet das für Sie? Es bedeutet: Wie Gabriel glauben Sie, Ihr Glück hinge von Äußerlichkeiten ab. Doch da sind Sie im Irrtum. Sie meinen, Sie könnten das Schicksal bestechen. Aber da täuschen Sie sich. Besonders jetzt. Denn Sie befinden sich gerade in einer höchst unklaren Phase. Sie sind verwirrt. Sie suchen nach Sicherheiten, wo keine sind. Sie wissen nicht, worauf Sie sich verlassen können. Sie haben das Gefühl, Sie sind irgendwo abgesprungen, und Ihr Fallschirm öffnet sich nicht. Wie werden Sie landen? Wie Gabriel Antunes? Seine Geschichte ist berühmt geworden, weil er den Sturz überlebte. Er landete in einem riesigen Haufen frisch gemähten Grases. Er versank im Heu. Was tat er als erstes, als er sich herausgewühlt hatte? Er warf seine Marshmallows weg. Richtig. Auch Sie sind längst so weit, daß Sie sich von überflüssigem Ballast lösen können. Von Dingen, von Zielen, von Personen, die Ihnen kein Glück gebracht haben, sondern von denen Sie abhängig geworden sind. Lösen Sie die Fesseln. Sie brauchen sich nicht abhängig zu machen. Haben Sie nicht nötig. Denn Sie werden immer weich landen. Wo? Das grüne Bärchen ist ein Symbol dafür: Auf den Polstern des Vertrauens. Denn wieviel Selbstvertrauen, wieviel innere Ruhe, innere Sicherheit, ja, wieviel Weisheit Sie haben – das finden Sie gerade erst heraus. Spannend ist das! Und: Viel Spaß im Heu!

VERWIRRUNG
UNSICHERHEIT
KREATIVITÄT

Rot	Gelb	Weiß	Grün	Orange
–	–	4	–	1

Erinnern Sie sich an Ihre Träume? Aus der letzten Zeit? Dann wird Ihnen einer besonders aufgefallen sein, ein Falltraum. Wenn Sie ihn bisher nicht geträumt haben, dann ist er heute nacht fällig. Der Boden scheint wegzugleiten. Sie taumeln und fallen. Sausen durch einen endlosen Tunnel. Kippen von einer Bergspitze. Und der Sturz hört nicht auf. Es geht immer nur abwärts, ohne Ende, ohne Halt. Bis Sie aufwachen und sich an der Bettdecke festkrallen. Schön, nicht? Das ist ein typischer Traum von Leuten, die vier weiße Bärchen ziehen. Von Leuten, die nicht mehr genau wissen, was Sache ist. Woran sie sich halten sollen. Worauf sie sich verlassen können. Und in dieser Lage sind Sie gerade. Sie befinden sich an einem Wendepunkt. Sie stehen am Ende einer Beziehung. Oder am Ende

einer Phase in dieser Beziehung. Vor dem Umzug in eine andere Stadt. Oder mitten im Umbau Ihrer Karriere. Etwas, woran Sie bisher Halt gefunden haben, entgleitet. Das muß weg, soll auch weg. Aber Sie haben Hemmungen, den alten Kram loszulassen. Weil Sie ja nicht genau wissen, was da Neues kommt. Aber Freude über Freude: Ihre Unsicherheit ist nicht von Dauer. Ihre Orientierungslosigkeit endet. Sie Glückspilz haben nämlich auch noch ein orangenes Bärchen gezogen. Und das bedeutet: Es wird lustig. Jede Menge Neuigkeiten sind angesagt. Events. Kontakte. Kreativität. Die Farbe Orange weist überdies auf Ihre Fähigkeit hin, Dinge spielerisch anzugehen. Nicht verantwortungslos, sondern mit Heiterkeit und Augenzwinkern. Daß Sie nur ein einziges Bärchen von dieser Farbe gezogen haben, heißt allerdings: Sie müssen auch selbst was dafür tun. Müssen was Neues versuchen. Müssen was wagen. Aber wie wir Sie kennen, tun Sie das lieber heute als morgen. Damit Ihr Leben Farbe kriegt. Und Ihre Träume richtig bunt werden.

IDEEN
TATENLOSIGKEIT
INTUITION

Rot	Gelb	Weiß	Grün	Orange
—	—	**3**	**2**	—

Diese Farbzusammenstellung findet sich im Wahrzeichen einer italienischen Agentur, die etwas Originelles anbietet: Sie erinnert Leute an ihre guten Vorsätze. Und zwar telefonisch. Zu Jahresbeginn oder am eigenen Geburtstag können Sie da anrufen und mitteilen, was Sie jetzt besser machen wollen. Mehr Sport treiben, weniger rauchen, gesünder essen oder so ähnlich. Von da an ruft die Agentur Sie monatlich an und fragt, wie es um das Einhalten Ihrer Vorsätze bestellt ist. Das kostet wenig und bringt angeblich viel. Na und? Was hat das mit Ihnen zu tun? Nun ja. Sie sind auch groß im Schmieden von Plänen. Im Entwerfen von Projekten. Sie haben interessante Vorsätze. Das zeigen die weißen Bärchen. Nur mit der Durchführung hapert es manchmal ein bißchen. Das zeigen die beiden grünen Bärchen. Sie denken, mit der großartigen Idee sei es schon getan. Und wundern sich dann, daß daraus nicht viel wird. Das liegt daran, daß Sie selbst nicht so richtig in Gang kommen. Aber, seien wir ehrlich, das war so. Das ist jetzt anders. Denn Sie haben drei weiße Bärchen gezogen, und die sind stärker als zwei grüne. Die bedeuten, daß Sie Ihre Phantasie jetzt umsetzen. Daß Sie Ihre Wünsche verwirklichen. Daß Sie Ihrer Intuition Taten folgen lassen. Weil Sie sich überlegen, wie Sie Ihre Ideen verwirklichen können – und in welchen Schritten. Diese italienische Agentur rät zum Aufschreiben. Und zum Meditieren über Zielbilder: Der Raucher soll sich seine aufatmende Lunge vorstellen, der Schoko-Süchtige seine gertenschlanke Figur, der Hinauszögerer seinen bald aufgeräumten Schreibtisch. Aber Sie brauchen so eine Agentur nicht mehr. Sie könnten selber eine gründen. Wir wären Ihr Kunde.

HELLSICHTIGKEIT
VERTRAUEN
KREATIVITÄT

Rot	Gelb	Weiß	Grün	Orange
–	–	3	1	1

Haben Sie Lust auf ein Spiel? Haben Sie. Sonst hätten Sie kein orangenes Bärchen gezogen. Dann probieren Sie mal folgendes. Sie verlassen den Raum, und die anderen verstecken etwas, zum Beispiel ein Portemonnaie. Dann werden Sie zurückgerufen. Die anderen stellen sich nun um Sie herum und berühren mit den Fingerspitzen Ihren Nacken; dabei konzentrieren sie sich auf das Versteck des Portemonnaies und versuchen diesen Gedanken durch die

Finger auf Sie zu übertragen. Sobald Sie etwas ahnen oder vor Ihrem inneren Auge sehen, gehen Sie zu dem Versteck. Die Trefferquote steigt mit wachsender Übung. Warum Sie so was ausprobieren sollen? Weil Sie die Bärchen-Kombination der Hellsichtigkeit gezogen haben. Weil Sie ohnehin feinere Antennen haben als andere, eine schärfere Wahrnehmung, ein sensibleres Empfinden. Weil Sie Gedankenfelder

aufnehmen und Gefühlsschwingungen spüren. Und weil es nützlich ist, aus diesem Talent etwas zu machen. Und wenn jemand etwas daraus machen kann, dann Sie. Sie haben das orangene Bärchen der spielerischen Heiterkeit und der Kreativität. Und das grüne Bärchen der Selbst-

disziplin und der Kontinuität. Sie können also Ihre Hellsicht und Intuition richtig zur Blüte bringen. Ob Sie das künstlerisch nutzen oder therapeutisch, ob Sie anderer Leute Träume deuten oder eine mediale Begabung entwickeln, oder ob Sie Ihren siebten Sinn geschäftlich nutzen, ist gleich. Die Klarheit Ihrer Wahrnehmung nimmt auf jeden Fall zu. Ihre Intuition wird sich immer stärker Gehör verschaffen. Und mit Ihrem Witz und Ihrem Selbstvertrauen werden Sie daraus eine Menge machen. Sie werden jetzt wahrhaftig interessant. Eine richtige Persönlichkeit werden Sie. Was wir ja ohnehin schon immer geahnt haben.

UNRUHE
INTUITION
GEISTIGE KRAFT

Rot	Gelb	Weiß	Grün	Orange
–	–	3	–	2

Sie sind ein bißchen wankelmütig, stimmt's? Ein ganz klein bißchen verantwortungslos, richtig? Etwas flatterhaft, unstet, labil. Kann das sein? Das kann nicht nur sein, das ist so. Sonst hätten Sie diese Bärchen-Kombination nicht gezogen. Sie haben eine ungewöhnliche geistige Beweglichkeit (dreimal Weiß), ja, doch Ihr Fähnchen flattert in viele Richtungen (zweimal Orange). Sie

sind sensibel, Ihre Wahrnehmung ist ungewöhnlich fein, aber Sie werden von wechselnden Eindrücken hin und her gerissen. Zweimal Orange bedeutet immer: innere Unruhe, Anfälligkeit für wechselnde Stimmungen, plötzliche Richtungswechsel. Sie sind ein Boot, das ohne Kiel auf der Wasseroberfläche treibt und den Winden ausgesetzt ist. Genauer gesagt: Das war so. Aber jetzt haben Sie dreimal Weiß gezogen. Und dreimal Weiß ist stärker als zweimal Orange. Ihre eigene geistige Kraft ist mächtiger als die Einflüsse, die Sie immer mal wieder aus der Bahn werfen wollen. Das ist gut, und das wird jetzt noch besser. Sie müssen lediglich Ihrer ungewöhnlichen Begabung stärker vertrauen. Also Ihrer Intuition. Ihren Ahnungen. Ihrem Gespür. Leute wie Sie werden von großen Firmen als Trendforscher angestellt. Weil Sie Strömungen und Kurswechsel immer etwas früher wittern als andere. Leute wie Sie machen als Medium Karriere. Oder als Detektive. Als Wahrsager. Oder als Wetterfrösche. Als Therapeuten. Weil Sie Gedankenfelder aufnehmen und Gefühlsschwingungen spüren. Diese geistigen Felder und Schwingungen sind immer da, aber nur wenige Menschen haben sensible Antennen dafür

Eben Sie. Und je mehr Sie Ihren Antennen vertrauen, desto schärfer wird Ihre Wahrnehmung. Desto genauer erkennen Sie, was Sie wirklich wollen. Was Ihre Sache ist. Was Sie anpacken sollten und was Sie beiseite lassen können. Und dann gehen sie aufrecht durch jedes Feuer. Durch jeden Sturm.

HEILUNG
ILLUSION
KRAFT

Rot	Gelb	Weiß	Grün	Orange
—	—	2	3	—

Dreimal Grün: Das ist eine erholsame Kraft. Sie können Hektikern Ruhe geben, Chaoten Klarheit verschaffen, Orientierungslosen die Richtung zeigen. Sie besitzen ordnende, heilende Fähigkeiten. Nicht zufällig haben Sie Weiß und Grün gezogen, die Farben des Internationalen Verbandes psychosomatischer Ärzte. Sie haben einfach ein gutes Körpergefühl. Für sich selbst und für andere. Sie spüren, wo Verspannungen sitzen, wo sich etwas staut, wo Verkrampfungen gelöst werden müssen, wo Energie in Fluß kommen soll. Sie können solche Probleme wunderbar auf körperlicher Ebene lösen, aber auch auf geistiger; zum Beispiel wenn jemand einfach nicht mehr weiter weiß. Sie können ihm zuhören. Können erspüren, was er oder sie eigentlich will. Können klärende Fragen stellen. Und doch kommt Ihnen immer wieder etwas in die Quere. Und das ist eine Mischung aus Empfindlichkeit und Selbsttäuschung (zweimal Weiß). Eine Neigung, Wunschbilder für wichtiger zu halten als die Wirklichkeit. Deshalb fallen Sie immer mal wieder auf die Nase. Oder sagen wir: Das war so. Aber jetzt haben Sie dreimal Grün gezogen. Und dreimal Grün ist einfach stärker als zweimal Weiß. Ihre bodenständige Energie ist mächtiger als der Einfluß trügerischer Idealbilder. Dreimal Grün heißt: Sie sind geerdet. Sie können unmittelbar Kraft aus der Natur schöpfen. Anderen gibt ein Spaziergang nichts. Sie aber bekommen Energie von Bergen, Bäumen, Flüssen, aus dem Vogelgesang. Und wo immer Sie sind, können Sie sich erden. Können sich vorstellen, daß durch Ihre Füße Energie aus der Erde fließt. Andere versuchen das vergeblich. Bei Ihnen klappt es. Sie können mit dieser

Energie arbeiten. Können auf jeder Ebene Blockaden, Verhärtungen, Verspannungen lösen, körperlich und geistig, bei sich und bei anderen. Nehmen Sie uns schon mal in Ihren Terminkalender auf.

MISSTRAUEN
EMPFINDLICHKEIT
KREATIVITÄT

Rot	Gelb	Weiß	Grün	Orange
–	–	2	2	1

Als vor hundert Jahren das Märchen von der Prinzessin auf der Erbse erschien entwarf der Autor Hans Christian Andersen einen farbigen Schutzumschlag: Grün und Weiß dominierten darauf. Das seien die Farben des Märchens. Diese Farben haben Sie nun gezogen. Was bedeutet das? Daß Sie eine Prinzessin sind? Nein. Da bestimmt nicht. Eine Erbse? Schon eher. Aber auch nicht richtig. Nein: Daß Sie empfindlich sind. Denn davon handelt das Märchen. Und daß sie die jungfräulichen Farben Weiß und Grün gleich doppelt gezogen haben, weist sogar auf eine verletzbare Überempfindlichkeit hin. Freundlich gesagt: Sie sind eine sensible, vom Gewissen geplagte Seele. Unfreundlich gesagt: Sie sind jemand, der keine Öko-Klorollen benutzt, weil e. fürchtet, die seien aus dem Altpapier seiner greulichen Nachbarin gemacht. Jemand, dem der Gedanke unerträglich ist, in

Altglascontainer für Grünglas könnte versehentlich eine Flasche aus Braunglas landen. Und der sich, wenn ihm das passiert, wochenlang mi Schuldgefühlen plagt. Erkennen Sie sich da wieder? Nein? Dann wird es ja Zeit, daß wir Ihnen das mal sagen. Okay, mit sich selbst sind Sie großzügig. Sogar unordentlich bis zur Verwahrlosung. Abe wenn jemand mit Straßenschuhen Ihre Wohnung betritt, kriegen Sie Sodbrennen. Stimmt's? Na, Sie sind auf jeden Fall seh empfindlich. Aber nun haben Sie ja ein orangenes Bärche gezogen. Was bedeutet: Sie haben zugleich sehr viel Humo. Nur deshalb haben wir uns auch erlaubt, Ihnen diese Unver schämtheiten an den Kopf zu werfen. Sie sind nämlich witzig

Sind spielerisch. Kreativ. Und genau jetzt ist die Zeit gekommen, daß Sie Ihre seismographische Sensibilität kreativ nutzen. Als Maler, Musiker, Therapeut. Oder schreiben Sie Gedichte? Prima! Klasse! Toll! Nur schicken Sie die bitte nicht an uns.

TÄUSCHUNG
UNRUHE
DISZIPLIN

Rot	Gelb	Weiß	Grün	Orange
–	–	2	1	2

Würden Sie gerne ein Schloß besitzen? Womöglich ein geheimnisvolles, dessen Geheimnisse nur Sie kennen? Eines mit prunkvollen Räumen und funkelnden Grotten und unterirdischen Seen, über die die Musik ihres Herzens weht? Mit schlanken Gespielinnen und Gespielen? Mit den Bildern Ihrer Träume? Na, dann gute Nacht. Dann werden Sie genauso enden wie der irre König Ludwig II. Sie wissen schon, der mit den Märchenschlössern und der Wagner-Musik und den einsamen Festen. Sie haben exakt dessen Lieblingsfarben gezogen. Sie haben wie er die Neigung, Ihre flirrenden Träume und Illusionen höher zu schätzen als Ihre Wirklichkeit (zweimal Weiß). Auch in Ihnen flackert diese Unruhe der schöpferischen Bilder und Ideen, deren Kehrseite eine nervöse Labilität ist (zweimal Orange). Der König verirrte sich schließlich in den Labyrinthen seines Geistes und kehrte nicht mehr zurück. Doch das wird Ihnen nicht passieren. Denn Sie haben auch noch ein grünes Bärchen gezogen. Und das bedeutet: Sie haben Bodenhaftung. Sie sind geerdet. Ihre inneren Bilder, Phantasien und Träume bleiben stark, bleiben lebendig. Aber Sie bekommen dazu die Stabilität, die dem König fehlte. Sie können die Ordnung schaffen, zu der er nicht in der Lage war. Die Disziplin aufbieten, mit der Vorstellungen und Einbildungskraft in die Wirklichkeit umgesetzt werden. So daß Sie sich und andere inspirieren. Wußten Sie übrigens, daß der König das Haus allenfalls zu Kutsch- oder Schlittenfahrten verließ?

Daß er mit den Füßen nicht den Boden berühren wollte? Ahmen Sie das nicht nach. Ihnen tun Spaziergänge gut, Laufen wirkt Wunder bei Ihnen gegen jegliche Kümmernis. Wir stehen dann am Wegesrand und winken.

SPIEL
ILLUSION
MAGIE

Rot	Gelb	Weiß	Grün	Orange
–	–	2	–	3

Wolfgang Amadeus Mozart liebte Pomeranzen. Das sind Früchte, die den Apfelsinen verwandt sind, nur kleiner und im Aroma zarter. Wir wissen, daß Mozart seine heitersten Werke stets in einer Jahreszeit geschrieben hat, in der es Pomeranzen gab. Wenn es sie nicht gab, wurden seine Stücke düster. Das kann Zufall sein.

Doch Mozarts Ehefrau hat überliefert, daß ihr Mann, wenn möglich, drei Pomeranzen auf dem Klavier liegen hatte. Die hellten seine Stimmung auf, behauptete er, und inspirierten ihn zu munterem Spiel. Richtig. Dreimal Orange, das ist von jeher ein Symbol der Heiterkeit und Kreativität gewesen. Und wenn Sie jetzt drei orangene Bärchen gezogen haben, werden Sie das merken. Die Sonnenenergie in Ihnen wird angeknipst. Es beginnt eine beschwingte, spielerische Zeit. Eine Zeit, in der Sie Ihre Ideen umsetzen können. In der Sie leicht auf Leute zugehen. Oder glauben Sie, das kann gar nicht sein? Weil Sie sich schon sooft getäuscht haben? Halten Sie Spielerei und Leichtigkeit überhaupt für eine Illusion? Einerseits wünschen Sie sich ein unbeschwertes Leben. Andererseits haben Sie Angst, den Boden unter den Füßen zu verlieren, wenn Sie Ihrer Phantasie folgen. Wir geben das zu bedenken, weil Sie auch zwei weiße Bärchen gezogen haben. Und zweimal Weiß zeigt solche Befürchtungen an. Wirklich besteht bei Ihnen ja die Gefahr, bloßen Wunschbildern zu erliegen. Aber nur ganz am Rande. Denn dreimal Orange ist stärker als zweimal Weiß. Da bleibt Ihnen gar nichts anderes übrig, als spielerisch und heiter zu werden! Sie können jetzt gar nicht anders als kreativ und kontaktfreudig sein! Freuen Sie sich über den Anteil an Illusion: Mit dieser Kombination sind Sie nämlich ein wunderbarer Magier. Zaubern Sie doch mal ein bißchen! In Ihrem Leben! Und gern auch in unserem.

TRÄGHEIT
STAGNATION
KLÄRUNG

Rot	Gelb	Weiß	Grün	Orange
–	–	**1**	**4**	–

Wie erleichternd, daß Sie ein weißes Bärchen gezogen haben! Viermal Grün ohne die Aussicht auf Frischluft und Geistesblitze, das wäre trübsinnig gewesen. Für Sie, und mehr noch für uns. Haben Sie mal Robert Schulze-Gimpel gesehen? Den Komiker? Vielleicht gesehen, aber gleich wieder vergessen. Denn wo immer der auftritt, schlafen die Leute bei der Vorstellung ein. Wir wissen nicht, warum. Denn wir sind auch eingeschlafen. Aber woran wir uns noch erinnern: Er trat mit vier grünen Luftballons auf. Und viermal Grün, das ist ein altes Symbol für Dämmerschlaf. Vielleicht lag es daran. Jedenfalls wollen Ihnen das die vier grünen Bärchen sagen: Sie sind nicht wach. Es geht nicht vorwärts bei Ihnen. Nicht mal rückwärts. Sie befinden sich in einem Zustand der Stagnation. Keine Sorge, das Gegenmittel kündigt sich ja schon an. Es kommt Bewegung in Ihren Sumpf. Wie bitte? Sie wollen uns einreden, Sie machen doch alles mögliche? Sie seien durchaus tätig? O, nein. Scheinbar vielleicht. Aber innerlich gähnt die Leere eines ausgefegten Bierzeltes. Da ist nichts los. Was Sie an der Oberfläche abfackeln, das sind Ablenkungsmanöver. Sorry, bei Ihnen ist geistige Trägheit angesagt. Stagnation. Oder, zum Glück, das war so. Doch dem weißen Bärchen sei Dank: Nun geht Ihnen ein Licht auf. Jetzt kommt Helligkeit in Ihre dumpfgrüne Dämmerung. Weiß, das bedeutet: Ihr Gehirn bekommt Frischluft. Ihr Geist atmet durch Einfälle blitzen auf. Kaum zu glauben: Nachdem Sie ewig im Trüben herumgefischt haben, erlangen Sie nun langsam Klarheit. Daß Sie nur ein einziges weißes Bärchen gezogen haben heißt zwar: Sie müssen auch selbst was dafür tun. Ganz vor allein werden Sie nicht erleuchtet. Aber bei der Sensibilität, die Sie haben, und bei der Offenheit, die jetzt dazukommt, wird es so prickeln, daß Sie nicht wieder in Dumpfsinn versinken können!

HEILUNG
KLÄRUNG
KREATIVITÄT

Rot	Gelb	Weiß	Grün	Orange
–	–	1	3	1

Kennen Sie die British Healers Association? Die Vereinigung der heilenden Berufe in Britannien? Die würde sie prompt als Ehrenmitglied aufnehmen. Denn Sie haben exakt die Farben gezogen, die in deren Wappen prangen. Weiß für geistige Klarheit und Intuition, Orange für sonniges Gemüt und schöpferische Arbeit, dreimal Grün für die Fähigkeit, Harmonie zu schaffen, Ruhe auszustrahlen, zu heilen. Ja, das ist in Ihnen angelegt. Und daß Sie jetzt diese Bärchen gezogen haben, heißt nichts anderes, als daß

Sie sich diesen Anlagen widmen sollen. Das weiße Bärchen verrät Ihnen, daß Sie Ihrer inneren Stimme vertrauen können. Dafür ist eine gewisse Ruhe nötig. Eine Reduzierung äußerer Reize. Vielleicht ein wenig Meditation, vielleicht Yoga. Sie werden es schon wissen. Das orangene Bärchen sagt, daß Sie ohne Furcht Neuland betreten können. Nicht, um abgelenkt zu werden, sondern um zu sich selbst zu kommen. Sie können ruhig den Fernseher ausschalten, Sie selbst haben ein viel besseres Programm: Ihre eigene schöpferische Begabung. Schulen Sie die, nutzen Sie die, begeben Sie sich in den Strom kreativer Kraft. Die drei grünen Bärchen schließlich sind das Zeichen Ihrer inneren Harmonie, die wohltätig auf andere wirkt – oder wirken kann. Die damit verbundene Ausstrahlung stellt sich nämlich nur ein, wenn Sie selbst für die äußeren Voraussetzungen sorgen: für Ordnung und Klarheit in Ihrem Haus, für Verläßlichkeit in Ihren Beziehungen, für Vertrauen. Aber wir machen uns da gar keine Sorgen. Dies ist eine starke Kombination. Und die zeigt, daß Sie dabei sind, Ihre enorme innere Kraft zu entwickeln und nach außen zu tragen. Sie können damit anderen helfen, können klärend und wohltuend wirken. Und Sie können bei sich selbst damit anfangen. Viel Spaß dabei, viel Freude! Die Zeit ist reif.

SCHWÄCHE
OBERFLÄCHLICHKEIT
KLARHEIT

Rot	Gelb	Weiß	Grün	Orange
—	—	1	2	2

Zweimal Grün heißt faule Kompromisse. Zweimal Orange: Sie mogeln sich mit Floskeln durch. Im Job kann das bedeuten, daß man Ihnen dauernd Arbeiten aufs Auge drückt, die eigentlich gar nicht in

Ihren Bereich gehören. Aber Sie erledigen die um des lieben Friedens willen. Und weil Sie hoffen, daß man Sie dafür mag. Privat kann es heißen, daß Sie mit Leuten befreundet sind, mit denen Sie nichts verbindet. Aber Sie kriegen nicht die Kurve und mustern die

nicht aus. Im Job sind Sie über Ihre alten Aufgaben längst hinausgewachsen. Aber Sie machen immer noch den alten Striemen, weil Sie sich nicht ins Neuland trauen. Weil Sie ja nicht wissen, was dann kommt. Und privat treffen Sie sich immer noch mit dieser alten Freundin, mit der Sie sich längst nichts mehr zu sagen haben, und quälen sich durch Anstandsbesuche, Höflichkeitstelefonate, Urlaubspostkarten. Als Kind hatten Sie keine Mühe, Freundschaften zu beenden, wenn die sich auseinanderentwickelt hatten. Das ging von selbst und war völlig normal. Später sind Sie höflicher geworden. Taktischer. Berechnender. Und jetzt haben Sie den Salat. Wieviel Zeit wollen Sie vergeuden? Keine mehr, sagt das weiße Bärchen. Wie stark wollen Sie Ihre eigene Entfaltung knebeln? Das weiße Bärchen sagt: Gar nicht. Das weiße Bärchen ist ein Signal für eine Ihrer besten Anlagen: Ihre klare Intuition. Auf die können Sie sich verlassen. Auf Ihre deutliche innere Stimme. Wenn Sie der folgen, und Sie tun es schon, sortieren Sie mühelos zwischen dem, was wichtig ist – und dem, was als Ballast abgeworfen werden kann. Zwischen dem, was Sie fördert. Und dem, was Sie, und übrigens auch die anderen, lediglich hemmt. Sieht gut aus für Sie. Oder wollen Sie als erstes uns als Ballast abwerfen?

KLARHEIT
SELBSTVERTRAUEN
HEITERKEIT

Rot	Gelb	Weiß	Grün	Orange
–	–	1	1	3

Machen Sie manchmal humorige Gedichte? Oder witzige Zeichnungen? Dreiste Sprüche? Freche Verse? Kein Wunder. Sie haben die Lieblingsfarben von Wilhelm Busch gezogen. Und das mit so traumhafter Sicherheit, daß man meinen könnte, Sie höchstpersönlich seien der Erfinder von Max und Moritz. Kommt Ihnen das auch so vor? Na, warten Sie mal ab. Sie fangen ja gerade erst an mit Lustig. Ja, vor allem Orange wollte Wilhelm Busch um sich haben; das inspirierte ihn zur Heiterkeit. Aber auch Grün; das beruhigte ihn und flößte ihm Selbstvertrauen ein. Und schließlich Weiß, das er die Farbe der Klarheit nannte. Denn einen klaren Kopf brauchte er, vor allem bei seinen Trinkgewohnheiten, um seine schalkhaften Einfälle zu Papier zu bringen. Und genau diese Eigenschaften kommen

jetzt auch Ihnen zugute. Ihr Humor wird gekitzelt. Ihr Gehirn wird gelüftet. Ihr Selbstbewußtsein gestärkt. Was Sie daraus machen, ist Ihre Sache. Sie können jetzt wunderbar Leute unterhalten. Als Gagschreiber zum Fernsehen gehen. Als Lachsack im Karneval auftreten. Oder in einem mittelmeerischen Strandclub den Animateur mimen. Was überhaupt das Mittelmeer angeht: Dreimal Orange ist eine fabelhafte Kombination für Reisen in ferne Länder oder, wenn es Sie mehr in die Leseecke zieht, für Reisen im Geiste. Auf jeden Fall werden Sie jetzt von einer Muse geküßt. Sie wollen auch von einer wirklichen Person geküßt werden? Nanu? Und warum haben Sie dann kein rotes Bärchen gezogen? Na gut. Sie kriegen trotzdem eine Chance. Mit der Kombination von Klarheit, Selbstvertrauen und reichlich Spaß müßten Sie nämlich wunderbar flirten können. So auf die scherzhafte Anmacher-Tour. Unsere Sache ist das nicht. Aber Sie kommen sicher damit durch.

Rot	Gelb	Weiß	Grün	Orange
—	—	1	—	4

Sie sind ein kleines Schlitzohr. Sonst hätten Sie die Bluffer-Kombination viermal Orange nicht gezogen. Berühmt ist die durch den sogenannten Reinkarnationsforscher Herbert Weise. Vielleicht haben Sie seine Annoncen mit den vier orangenen Sonnen schon mal in Szene-Blättern gesehen. Der bringt seine Kunden in ihr früheres Leben zurück, indem er sie ins Völkerkundemuseum führt. Für hundert Mark pro Person. Er fragt sie als erstes, zu welchen Erdteilen sie sich hingezogen fühlen, und bringt sie in die betreffende Abteilung. Dort versetzt er sie in eine leichte Trance und suggeriert ihnen: Wenn Sie wieder die Augen öffnen und sich umsehen, erkennen Sie Ihr früheres Leben. Und das funktioniert. Die Leute entdecken beim Anblick von Skulpturen, Masken und Kostümen, wo und wer sie in ihrer letzten Existenz waren. Eskimo oder Zulu oder Maori. Was das Museum eben so hergibt. Wie finden Sie das, Sie Viermal-Orange-Bluffer? Ist das nicht Geldverdienen nach Ihrem Geschmack? Der Herbert Weise hat erklärt, er habe mit seiner Erfindung innerhalb von drei Jahren »genug Geld für mehrere Leben« eingenommen. Das wäre doch auch was für Sie! Sie haben ebenfalls gute Ideen. Haben ein Näschen für Trends. Und träumen davon, alle Probleme auf mühelose Weise loszusein. Dafür drücken Sie auch ein bis zwei Augen zu. Und behaupten, Wahrheit sei relativ. Doch das weiße Bärchen der Klarheit und der Intuition weist Sie noch auf etwas anderes hin: Wenn Sie jemanden übers Ohr hauen oder anflunkern, gewinnen Sie nur scheinbar. In Wahrheit verlieren Sie jedesmal etwas von Ihrer Selbstachtung. Und glücklich, spricht das weiße Bärchen, werden Sie nur mit Ihrer eigentlichen Begabung. Und die besteht darin, für andere Leute befreiend und klärend tätig zu sein. Das ist Ihre Berufung. Sorry. Aber erstens können Sie dabei Ihre Kreativität voll einsetzen. Zweitens gut Geld verdienen. Und drittens glücklich werden.

VERTRAUEN
FRIEDEN
RAT

Rot	Gelb	Weiß	Grün	Orange
—	—	—	5	—

Falls Ihre Freunde Sie immer schon für den Friedensnobelpreis vorschlagen wollten, jetzt wäre die Zeit. Falls Sie dagegen als unverbesserliches Streithuhn bekannt waren, werden die Leute sich wundern. Denn fünfmal grün, das bedeutet einen staunenswerten Zuwachs an Selbstvertrauen, an Belastbarkeit und Vernunft.

Salomon, der kluge König und Richter, trug eine Kette mit fünf grünen Smaragden um den Hals. Gabriel, der Engel des weisen Ratschlusses, wird auf Bildern mit einem Palmenzweig aus fünf grünen Blättern gezeigt. Das Gewand des scharfsichtigen Sokrates war mit fünf Streifen aus grüner Seide durchsetzt. Der geniale Staatsmann Abraham Lincoln trug fünf grüne Perlen am Revers. Gut, Sie sind nicht Lincoln, Sie sind nicht Sokrates, noch nicht. Aber Sie werden merken, daß man auf Ihr Wort mehr achtet als früher. Daß man auf Ihren Rat hört. Daß Menschen Ihre Nähe als beruhigend, als klärend,

mitunter sogar als heilsam empfinden. Und das mit gutem Grund. Mehr und mehr nämlich spüren Sie die Gewißheit, daß Sie dem Gang der Dinge vertrauen können. Daß Gott, der Kosmos, die Natur, oder wie immer Sie es nennen mögen, auf Ihrer Seite sind. Das verschafft Ihnen die innere Ruhe, die den besonnenen Blick auf Probleme und ihre Lösung ermöglicht. Was immer Sie bislang aufgeschoben haben, jetzt können Sie es locker erledigen und zum Abschluß bringen. Neue Projekte können Sie nun mit beneidenswerter Umsicht verwirklichen. Und was immer die Leute Ihnen an Problemen vortragen, jeder wird von Ihrem guten Rat profitieren. Falls Sie zwischendurch auch mal Kraft brauchen: Die strömt Ihnen jetzt am leichtesten aus der Natur zu. Und wenn Sie dann den Nobelpreis bekommen haben, denken Sie auch mal an uns.

TRÄGHEIT
STAGNATION
NEUANFANG

Rot	Gelb	Weiß	Grün	Orange
–	–	–	4	1

Glückwunsch, daß Sie zu Ihren vier grünen noch ein orangenes Bärchen gezogen haben. Das ist so, als wenn die Morgensonne durch den Wald leuchtet. Durch den Wald, in dem Sie orientierungslos herumirren. Haben Sie selbst schon gemerkt, daß Sie nicht weiterkommen? Daß Sie im Kreis gehen? Und sich den Kopf immer wieder an denselben Bäumen wundstoßen? Das liegt daran, daß Sie ständig nur auf den Boden sehen. Lieber tun Sie immer dasselbe, auch wenn es schmerzt, als etwas Neues zu

wagen. Wir nennen das Trägheit, und das ist noch milde ausgedrückt. Aber keine Sorge, das Gegenmittel kündigt sich ja schon an. Die Sonne geht auf. Die ersten Strahlen kitzeln Sie schon. Aber erst mal müssen wir Sie beglückwünschen, wenn Sie sich noch keine Venenstauung, Nierensteine oder Depressionen aufgehalst haben. Denn das sind typische körperliche Auswirkungen der Stagnation und der Tatenlosigkeit. Wie bitte? Sie wollen uns einreden, Sie machen doch alles mögliche? Sie sind durchaus tätig? Ja, scheinbar. Aber innerlich gähnt die Leere einer ausgefegten Markthalle. Da ist nichts los. Was Sie an der Oberfläche abfackeln, das sind Ablenkungsmanöver. Nein, bei Ihnen ist Einöde angesagt. Oder, zum Glück, das war so. Jetzt blitzt die Morgensonne auf. Jetzt kommt eine neue Farbe ins trübe Einerlei. Denn Orange, das bedeutet: Leichtigkeit. Bedeutet Neuigkeiten. Kontakte. Kreativität. Sie haben die Begabung, Dinge spielerisch anzugehen. Nicht verantwortungslos, sondern mit Heiterkeit und Augenzwinkern. Genau diese Begabung entdecken Sie jetzt. Daß Sie nur ein einziges orangenes Bärchen gezogen haben, heißt: Sie müssen auch selbst was dafür tun. Müssen etwas Neues ausprobieren. Aber die Morgensonne wird Sie so kitzeln, daß Sie gar nicht anders können als aufblicken, lachen und loshüpfen!

ORDNUNG
WECHSELHAFTIGKEIT
KRAFT

Rot	Gelb	Weiß	Grün	Orange
—	—	—	**3**	**2**

Dreimal Grün: Sie besitzen ordnende, heilende Fähigkeiten. Sie verfügen über eine erholsame Kraft. Sie können Hektikern Ruhe geben, Chaoten Klarheit verschaffen, Orientierungslosen die Richtung zeigen. Oder sagen wir: Sie könnten es. Aber eine innere Wechselhaftigkeit kommt Ihnen immer wieder in die Quere. Das nämlich bedeutet zweimal Orange. Ihr Fähnchen, heißt das, flattert in viele Richtungen. Sie haben ein gutes Körpergefühl. Sie spüren, wo Verspannungen sitzen, wo sich etwas staut, wo Verkrampfungen gelöst werden müssen, wo Energie in Fluß kommen soll. Sie sind dazu begabt, solche Probleme auf körperlicher Ebene zu lösen, aber auch auf geistiger; zum Beispiel, wenn jemand nicht weiter weiß. Sie können ihm zuhören. Können erspüren, was er oder sie eigentlich will. Können klärende Fragen stellen. Und doch werden Sie selbst von einer inneren Unruhe geplagt. Ihr eigenes Ziel ist Ihnen unklar. Ihre Richtung bleibt unbeständig. Sie werden von wechselnden Eindrücken hin und her gerissen. Sie sind ein Boot, das ohne Kiel auf der Wasseroberfläche treibt und den Winden ausgesetzt ist. Oder genauer gesagt: Das war so. Aber jetzt haben Sie dreimal Grün gezogen. Und dreimal Grün ist einfach stärker als zweimal Orange. Ihre ordnende Stärke ist zu guter Letzt mächtiger geworden als die Einflüsse, die Sie immer mal wieder aus der Bahn werfen wollen. Und Sie werden dabei unterstützt. Sie können Kraft aus der Natur schöpfen. Anderen gibt ein Spaziergang nichts. Sie aber bekommen Energie von Bergen, Bäumen, Flüssen, sogar aus dem Vogelgesang. Und wo immer Sie sind, können Sie sich erden. Können sich vorstellen, daß durch

Ihre Füße Energie aus der Erde fließt. Andere versuchen das vergeblich. Bei Ihnen klappt es. Sie können mit dieser Energie arbeiten. Können auf jeder Ebene Blockaden, Verhärtungen, Verspannungen lösen, körperlich und geistig, bei sich und bei anderen. Nehmen Sie eigentlich auch Krankenkassen-Patienten?

KREATIVITÄT
TRÄGHEIT
HEITERKEIT

Rot	Gelb	Weiß	Grün	Orange
–	–	–	2	3

Coco Chanel ist die berühmteste Modeschöpferin des 20. Jahrhunderts. Sie hat das kleine Schwarze erfunden. Das lange Graue. Das klassische Braune. Das gedämpfte Blaue. Das seidene Weiße. Und die Ringelsocke. Dabei hat sie alle Farben eingesetzt. Nur eine einzige nicht: Orange. Orange, sagte sie nämlich, sei heilig. Sei die Farbe ihrer schöpferische Inspiration. Bevor sie ans Entwerfen ging, ließ sie sich stets drei Apfelsinen auspressen. Nie mehr, nie weniger. Mit drei Apfelsinen flutscht es, sagte sie. Sie meinte ihre Ideen. Und sie hatte recht. Dreimal Orange, das ist von jeher ein Symbol der Heiterkeit und Kreativität gewesen. Und wenn Sie jetzt drei orangene Bärchen gezogen haben, werden Sie das merken. Die Sonnenenergie in Ihnen wird angeknipst. Es beginnt eine beschwingte, spielerische Zeit. Eine Zeit, in der Sie Ihre Ideen umsetzen können. In der Sie leicht auf Leute zugehen. In der es flutscht. Vorausgesetzt, sie sinken nicht nach den ersten Erfolgen gleich wieder in ihren Schnarchsessel zurück.

In den Sumpf Ihrer Stagnation. Das geben wir zu bedenken, weil Sie auch zwei grüne Bärchen gezogen haben. Und das bedeutet: Spielerisches Denken und Leichtigkeit finden Sie gut. Solange Sie sich dafür nicht aus den Kissen erheben müssen. Sie haben nun mal eine Tendenz zur Trägheit. Eine Neigung zum Absacken. Aber jetzt werden Sie geliftet! Denn dreimal Orange ist einfach stärker als zweimal Grün. Da bleibt Ihnen gar nichts anderes übrig, als spielerisch und heiter zu werden! Sie können gar nicht anders als kreativ und kontaktfreudig sein! Und da Sie dank zweimal Grün wenigstens eine gute Bodenhaftung haben, werden Sie aus Ihren Ideen womöglich richtig was machen! Aber das werden wir ja dann in der Zeitung lesen.

SCHWINDELEI
KREATIVITÄT
SELBSTACHTUNG

Rot	Gelb	Weiß	Grün	Orange
—	—	—	**1**	**4**

Das grüne Bärchen sagt etwas über Ihre gute Verbindung zur Natur, zur Erde, zu Ihrer eigenen Basis. Und die vier orangenen Bärchen sprechen Bände über Ihre Neigung, kreative Ideen für fragwürdige Zwecke zu nutzen. Mit dieser Farbkombination wirbt der be-

rühmte Haarwuchsmeister Dr. Peter Paschen für seine Seminare. Sie haben schon davon gehört, aber hoffentlich nicht teilgenommen. Denn die Seminare heißen: Neuer Haarwuchs durch mentales Training. Und da sitzen bedauernswerte Glatzköpfe und Resthaarbesitzer und hoffen, daß sie für gutes Geld superschlaue Methoden lernen. Sie üben dann, wie sie ihren Atem an die Haarwurzeln lenken. Wie sie goldenes Licht durch ihren Scheitelpunkt leiten. Und wie sie durch schnelles Drehen um die eigene Achse die Haarwuchs-Hormone ankurbeln können. Gut, was? Gut für den Erfinder jedenfalls. Ob die Kunden jemals glücklich werden, ist eine andere Sache. Und was hat das mit Ihnen zu tun? Sie haben ebenfalls die Neigung, andere durch schlaue Tricks zu täuschen. Das macht Ihnen sogar Spaß. Sie schwindeln schon aus purer Lust an der Erfindung. Und aus Gewohnheit. In der Partnerschaft. Im Beruf. Das jedenfalls teilen uns die vier orangenen Bärchen mit. Das grüne Bärchen der Güte und des Vertrauens aber sagt: Wenn Sie nicht ehrlich mit anderen sind, können Sie auch nicht ehrlich mit sich selbst sein. Dann können Sie zwar kurzfristige Erfolge genießen, aber das sind Schein-Erfolge, mit denen Sie nicht glücklich werden. Aber erst jetzt, sagt das grüne Bärchen, ziehen Sie daraus die Konsequenzen. Sie machen Ordnung in Ihrem Haus. In Ihren Beziehungen. In Ihren Gefühlen. Im Job. Sie bekommen eine ungewohnte Klarheit. Und dazu die Möglichkeit, Ihre enorme Kreativität endlich zu Ihrer und anderer Glück einzusetzen. Erst jetzt und endlich, sagt das grüne Bärchen, kehren Sie zurück zu sich selbst.

LEICHTIGKEIT
KONTAKTE
KREATIVITÄT

Rot	Gelb	Weiß	Grün	Orange
–	–	–	–	5

Möglicherweise schaffen Sie es nicht mehr, der größte Künstler des Jahrhunderts zu werden. Denn die Zeit ist knapp. Aber es wird Sie interessieren, daß Picasso immer fünf Orangen in seinem Atelier hatte. Warum? Er sah in ihnen ein Zeichen der Sonnenkraft, des Einfallsreichtums, der Kreativität. Und so ist es. Wenn Sie fünf orangene Bärchen gezogen haben, dann beginnt jetzt für Sie eine Zeit der spielerischen Leichtigkeit. Vielleicht wußten Sie gar nicht, daß Sie ein sonniges Gemüt haben. Nun werden Sie es merken. Und andere auch. Es ist, als würde plötzlich die Sonnenenergie in Ihnen angeknipst. Sie fühlen sich beschwingt, tänzerisch, schwerelos. Auf einmal haben Sie den Blick aufs Leben, wie ihn eigentlich nur die Götter haben, die belustigt auf uns herabschauen: Sie sehen das Leben spielerisch. Und mühelos können Sie von dieser wunderbaren Heiterkeit anderen etwas abgeben. Mit Ihrer inneren Sonnenwärme gehen Sie mun-

ter auf die Leute zu. Kontakte ergeben sich wie von selbst. Sie sind voller Neugier, voller Offenheit und Aufnahmebereitschaft. Und Sie können das alles, wenn Sie wollen, schöpferisch umsetzen. Ob Sie Bilder malen, Musik machen, Gedichte schreiben oder als Schauspieler glänzen wollen: Nie waren Sie so originell und so kreativ wie in der jetzt beginnenden Phase. Vielleicht möchten Sie aber auch einfach nur das Leben genießen. Menschen mit fünf orangenen Bärchen werden häufig von unbändiger Reiselust gepackt. Oder sie spielen und gewinnen. Oder geben ein Fest. Falls Sie letzteres tun, schicken Sie uns doch bitte eine Einladung.

Namens-Verzeichnis

Allen, Woody 93
Andersen,
  Hans Christian 216
Armani, Giorgio 152
Artus, König 21

Berdjajew, Grigorij 109
Bernhard von Clairvaux 60
Buddha, Gautama 121, 245
Busch, Wilhelm 228

Capulet, Julia 26
Carter, Howard 23
Casanova 11
Castelbagnac,
  Romain de 142
Chanel, Coco 238
Chaplin, Charles 172
Charles, Prince of Wales 142

Disney, Walt 89
Drury, Arnold 128

Edison, Thomas Alva 93
Einstein, Albert 98, 246

Gabriel, Engel 232
Getty, Jean Paul 83

Gonzales, Carmencita
  170
Guinover, Königin 21
Hitchcock, Alfred 49

Iacocca, Lee 50

Jung, Carl Gustav 121

Kashoggi, Adnan 138
Kempner, Friederike 58
Klein, Calvin 80
Kohlhaas, Michael 64

Lanzelot, Ritter 21
Lincoln, Abraham
  232
Ludwig II. 218

Madonna 31
Minde, Margarete 64
Matisse, Henri 30
Messalina 11
Mitchell, Margaret 133
Montague, Romeo 26
Morita, Akio 77
Mozart, Wolfgang Amadeus
  220

Napoleon 11

Nero 12

Nin, Anais 30

Paschen, Peter 240

Perot, Ross 140

Peter von Amiens 60

Philips, Gerard 140

Picasso, Pablo 242

Pyrrhus, König 13

Raimondi, Umberto 170

Rockefeller, John D. 136

Sacher-Masoch,
  Leopold von 54

Sade, Marquis de 43

Salomon, König 232

Sander, Jil 152

Schöne, Lothar 142

Schulze-Gimpel, Robert
  222

Scott, Robert F. 158

Sokrates 232

Spindler, Albert 144

Spindler, Konrad 144

Streep, Meryl 160

Turner, Tina 50

Turner, William 73

Uderzo 191

Urban II. 60

Verdi, Giuseppe 199

Wagner, Richard 218

Weise, Herbert 230

West, Mae 45

Wilhelm II. 138

Fragen und Antworten

Ist so ein Orakel nicht Humbug?
Das werden Sie merken, wenn Sie es machen. Weise Leute haben herausgefunden, daß es keinen Zufall gibt. Zum Beispiel, daß Sie heute hier sind, ist kein Zufall. Daß Sie mit gewissen Menschen zusammengetroffen sind, ist kein Zufall. Daß Sie dieses Buch lesen. Daß Sie eine bestimmte Bärchen-Kombination ziehen. Alles kein Zufall. Jedes Ereignis erscheint erst in dem Augenblick, wenn man bereit dafür ist, sprach der erleuchtete Buddha. Was Ihnen widerfährt, und wann es Ihnen widerfährt, ist charakteristisch für Sie. Also: Die Bärchen, die Sie ziehen, sagen etwas über Sie aus. Aber nehmen Sie es mit Humor. Nicht nur dieses Orakel. Sondern jedes Orakel. Jeden Spruch. Überhaupt alles, was andere über Sie sagen. Und wenn es Ihnen nicht gefällt, sehen Sie darin eine Herausforderung, es zu widerlegen.

Wie oft macht man ein Orakel?
So oft man Lust dazu hat. Aber nicht dauernd hintereinander. Nicht zweimal am Tag. Auch nicht zweimal in der Woche. Einmal pro Woche ist schon übertrieben. Aber das müssen Sie selbst ausprobieren. Einige machen es nur am Geburtstag und zu Sylvester. Andere immer dann, wenn sie eine bestimmte Frage haben und etwas klären wollen. Wieder andere auf jeder Party.

Ich habe nicht nur rote, sondern auch rosa Bärchen!
Nehmen Sie beide Farben als Rot. Bei den meisten Herstellern sind Rot und Rosa ohnehin nur schwer zu unterscheiden. Wenn Sie einer genaueren Deutung auf die Spur kommen wollen,

denken Sie daran, daß Rosa eine abgemilderte Form von Rot ist. Rosa hat mehr die Bedeutung von Verliebtheit als von Leidenschaft. Wenn es um Aktivität geht, ist es die passivere Farbe. Rot ist die härtere Kraft, Rosa die sanftere Kraft. Aber Sie brauchen diese Unterscheidungen nicht zu beachten.

Ich habe nur braunrote, weißgelbe und grüne Bärchen.
Sie haben Öko-Bärchen im Bioladen gekauft. Die können Sie nicht zum Weissagen benutzen. Die können Sie nur essen und verdauen. Viel Glück.

Wie voll muß die Tüte noch sein, wenn ich ziehe?
Am besten natürlich, sie ist gerade frisch geöffnet. Aber wenn bei Ihnen frisch geöffnet gleich frisch gegessen ist, und wenn Sie sofort alle Weißen herauspicken, könnte das Orakel verfälscht werden. Sollte Ihre Tüte schon ziemlich leer sein, dann sorgen Sie dafür, daß von jeder Farbe noch gleich viele da sind. Mindestanforderung: Fünf Bärchen von jeder Farbe. Damit Sie die Möglichkeit haben, die Kombinationen fünfmal Rot oder fünfmal Weiß und so weiter zu ziehen.

Was mache ich mit den fünf Bärchen, wenn ich die Deutung gelesen habe?
Da sprechen Sie ein schwieriges Problem an. Albert Einstein hob seine fünf Bärchen auf; sie sind noch heute in einer Vitrine seines Hauses zu sehen. Doch die meisten Orakelexperten sind der Ansicht, man solle die Vergangenheit nicht festhalten, auch nicht die glückliche. Wenn also die Deutung Sie froh gestimmt hat, essen Sie die Bärchen auf; damit verstärken Sie die positive Wirkung. Wenn die Deutung Sie ratlos gelassen hat, heben Sie die Bärchen auf, lassen Sie sie reifen, und lesen Sie die Deutung etwas später noch einmal. Es wird dann klarer, was gemeint ist. Wenn Sie aber böse sind über die Deutung, lösen Sie Ihre fünf Bärchen zur Strafe in einem großen Glas Wasser auf. Oder

kleben Sie sie ans Fenster, dorthin, wo am meisten Sonne hinscheint. Sie werden sehen, das nächstemal bekommen Sie ein superpositives Orakel.

Was mache ich mit dem Rest der Bärchen?
Darüber ist ein heftiger Experten-Streit entbrannt. Bis er geschlichtet ist, was nicht so bald der Fall sein wird, können Sie die Bärchen unbesorgt aufessen.

Wie kommen die Deutungen zustande?
Durch die Verbindung von Zahlen und Farben. Ungerade Zahlen (dreimal oder fünfmal Rot) sind günstiger als gerade (zweimal oder viermal Rot). Diese alte Orakeltradition beruht darauf, daß ungerade Zahlen Beweglichkeit symbolisieren, gerade Zahlen dagegen Starrheit. So stehen drei rote Bärchen für Energie des Aufbruchs, für beginnende Leidenschaft, für Kraft, die in Bewegung kommt. Zwei rote Bärchen jedoch – und noch stärker vier rote Bärchen – zeigen die Fesselung solcher Energien an, etwa Angst oder unterdrückte Wut.

Beispiele für die Gewichtung von Gerade und Ungerade:
4 Rot, 1 Gelb: Das negative Rot dominiert, aber es gibt einen Ausweg.
3 Rot, 2 Gelb: Das positive Rot dominiert, ist aber durch negatives Gelb gefährdet.
2 Rot, 2 Gelb, 1 Weiß: Zwei negative Energien kommen zusammen, Weiß zeigt einen Ausweg.
2 Rot, 1 Gelb, 1 Weiß, 1 Grün: Das negative Rot ist stark, aber es winken gute Möglichkeiten.
3 Rot, 1 Gelb, 1 Weiß: Das positive Rot dominiert und wird unterstützt.
5 Rot: Die bestmögliche Rot-Energie.

Die Farben haben folgende Grundbedeutungen:

Rot, ungerade:
Liebe, Leidenschaft, Energie, Aktivität, Freude
Rot, gerade:
Ungeduld, Aggressivität, Alarm, Angst

Gelb, ungerade:
Streben, Arbeitslust, Karriere, Glanz, Wohlstand
Gelb, gerade:
Neid, Intoleranz, Starrsinn, Mißtrauen

Weiß, ungerade:
Klarheit, Intuition, Freiheit, geistige Führung
Weiß, gerade:
Illusion, Täuschung, Verirrung, Labilität

Grün, ungerade:
Güte, Ruhe, Verläßlichkeit, Ordnung, Vertrauen
Grün, gerade:
Langeweile, Stagnation, Tatenlosigkeit, Trauer

Orange, ungerade:
Neugier, Kontakte, Kreativität, Spiel, Originalität
Orange, gerade:
Oberflächlichkeit, Wankelmut, Ausweichen, Lüge

Stimmt es, daß es genau 126 Kombinationen gibt? Natürlich. Denn für das Gummibärchen Orakel gibt es, wie für alle wirklich wichtigen Dinge, eine mathematische Formel. Sie lautet:

$$\frac{(n + k - 1)!}{(n - 1)! \cdot k!}$$

n bezeichnet die Zahl der Farben, k die Zahl der gezogenen Bärchen. Im Gummibärchen Orakel gibt es fünf Farben, und fünf Bärchen werden gezogen. Dann lautet die Rechnung:

$$\frac{(5 + 5 - 1)!}{(5 - 1)! \cdot 5!} = \frac{9!}{4! \cdot 5!} = \frac{9 \cdot 8 \cdot 7 \cdot 6 \cdot 5 \cdot 4 \cdot 3 \cdot 2 \cdot 1}{4 \cdot 3 \cdot 2 \cdot 1 \cdot 5 \cdot 4 \cdot 3 \cdot 2 \cdot 1} =$$

$$\frac{9 \cdot 8 \cdot 7 \cdot 6}{4 \cdot 3 \cdot 2 \cdot 1} = 126$$

BILL BRYSON

»Bill Bryson ist der witzigste
Reiseschriftsteller auf Erden!«
The Times

Bill Bryson
Picknick
mit Bären

GOLDMANN

44395

GOLDMANN

MARTIN CRUZ SMITH

Arkadi Renko reist nach Havanna: Sein alter Freund
Pribluda, ein KGB-Bürokrat, wurde offensichtlich
tot im Hafen der Stadt gefunden. Aber ist es überhaupt
Pribluda? Gemeinsam mit einer intelligenten,
alleingängerischen Polizistin beginnt Arkadi, die Fäden
des Falls zu entwirren...

»Arkadi Renko: Ein liebenswerter Einzelgänger...
unbeirrbar, verbissen, eben ein Held.«
Die Welt

44988

GOLDMANN

GARDNER MCKAY

Der »Toyer« versetzt Los Angeles mit seinen
Verbrechen in Angst und Schrecken. Die Polizei
kommt keinen Schritt weiter, denn Toyer
hinterlässt keine Spuren. Als die Ärztin Maude
Garance hilflos zusehen muss, wie Toyers
jüngstes Opfer für immer ins Koma versinkt, wächst
in ihr der Wunsch nach Vergeltung ...
»Ein Leckerbissen für alle Kenner des Genres.«
New York Times

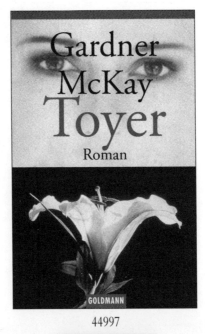

44997

GOLDMANN

JANET EVANOVICH

Stephanie Plum ist jung, nicht auf den Mund
gefallen, und sie hat einen ungewöhnlichen Job:
sie jagt entflohenen Ganoven nach...

»Witzig, abgebrüht und politisch völlig unkorrekt –
Stephanie Plum ist die beste amerikanische
Serienheldin.«
Booklist

42878

GOLDMANN